2004년 세계에스페란토협회

“올해의 아동도서” 작가의 크로아티아 동화

공조의 삼 남매

(Triopo Terura)

앙토아네타 클로부차르(Antoaneta Klobučar)지음

다보르 클로부차르(Davor Klobučar) 에스페란토역

장정렬 옮김

공포의 삼 남매
인　쇄 : 2021년 12월 6일 초판 1쇄
발　행 : 2021년 12월 11일 초판 1쇄
지은이 : 앙토아네타 클로부차르(Antoaneta Klobučar)
에스페란토역 : 다보르 클로부차르(Davor Klobučar)
옮긴이 : 장정렬(Ombro)
표지디자인 : 노혜지
펴낸이 : 오태영(Mateno)
출판사 : 진달래
신고 번호 : 제25100-2020-000085호
신고 일자 : 2020.10.29
주　소 : 서울시 구로구 부일로 985, 101호
전　화 : 02-2688-1561
팩　스 : 0504-200-1561
이메일 : 5morning@naver.com
인쇄소 : TECH D & P(마포구)

값 : 12,000원
ISBN : 979-11-91643-33-6(03890)

2004년 세계에스페란토협회
"올해의 아동도서" 작가의 크로아티아 동화

공조의 삼 남매

(Triopo Terura)

앙토아네타 클로부차르(Antoaneta Klobučar)지음
다보르 클로부차르(Davor Klobučar) 에스페란토역
장정렬 옮김

진달래 출판사

<에스페란토번역본 정보>

제　목: 공포의 삼 남매(Triopo Terura)
지은이: 앙토아네타 클로부차르
　　　　(Antoaneta Klobučar)
출　판: 2006년, 오시예크

이 책을 구매하신 모든 분께 감사드립니다.

출판을 계속하는 힘은 독자가 있기 때문입니다.
평화를 위한 우리의 여정은 작은 실천, 에스페란토를
사용하는 것입니다.
(오태영 *Mateno* 진달래 출판사 대표)

차 례

작가소개

[작가와 그의 가족]
앙토아네타 클로부차르(Antoaneta Klobučar)
오시예크대학교 경제학부 수학과 교수.
Faculty of Economics, University of Osijek.

작가는 1963년 크로아티아 빈코브치에서 태어났다. 어렸을 때 작가는 네타 만디치(Neta Mandić)라는 이름을 가졌으나, 지금은 앙투아네타 클루부차르(Antoaneta Klobučar)라는 이름으로 알려져 있습니다. 작가는 오시예크 시내 초등학교를 다녔는데, 그 학교를 작가의 딸도 다녔습니다. 고등학교를 졸업하고 오시예크대학교 사범대 수학-물리학을 전공하였고, 자그레브에서 수학박사 학위를 취득했습니다.

작가는 4살 때부터 자신이 침대에서 잠자기 전에 자신을 위한 동화를 말하곤 했습니다. 이를 기초로 나중에는 딸이 태어나자, 딸에게 동화를 말해 주었습니다. 현재 작가는 오시예크 대학교에서 수학을 가르칩니다. 딸 아나(Ana Klobučar)는 1991년 태어났고, 13살 때 이 작품 삽화를 그렸습니다. 남편 다보르 클로부차르(Davor Klobučar: 1961-2020) 오시예크에서 태어나, 이 작품을 에스페란토로 옮겼습니다.

Saluto al la korea leganto!

La libro "Rakontoj sub la lito" estis eldonita en la kroata lingvo en la jaro 2003 kiel mia unua libro. Post ĝi mi eldonis pliajn naŭ infanlibrojn. La desegnaĵojn por la libro kreis mia filino Ana, tiam 12-jara. Mia edzo Davor Klobučar (1961-2020), esperantigis ĝin en 2004. Li estis tre pasia esperantisto, nun bedŭrinde jam mortinta. La libro gajnis la infanpremion de la jaro 2004 ĉe Belartaj Konkursoj de Universala Esperanto-Asocio en Roterdamo. Poste, en la jaro 2005 li esperantigis ankaŭ mian duan libron "Triopo terura".
"Rakontoj sub la lito" estas kolekto de 19 mallongaj rakontoj por la aĝo de 3-9 jaroj. Mi imagis ilin kiel rakontoj por legi ĉe endormigo. Kompreneble, oni povas ilin ankaŭ legi tage. Ĉiu rakonto havas iun mesaĝon.
Kroataj infanoj ŝatis la rakontojn. Mi esperas ke ankaŭ koreaj legantoj ŝatos ilin.
"Rakontoj sub la lito" kaj "Triopo terura" estis el Esperanto tradukitaj japanen en 2006.
Mi ne parolas Esperanton, sed iom komprenetas ĝin kaj simpatias pri Esperanto. Mi estas membro de Kroata Esperanto-Ligo kiu helpas min en la kontaktoj kun la korea eldonisto.
Mi salutas vin kaj deziras al vi agrablajn momentojn dum la legado de la libro.

한국 독자 여러분 안녕하세요!

『침실에서 들려주는 이야기』라는 책은 나의 첫 번째 책으로 2003년 크로아티아어로 출판되었습니다. 그 후 나는 또 다른 아홉 권의 아동도서를 출판했습니다. 책의 그림은 당시 12살이던 제 딸 Ana가 그렸습니다. 제 남편 Davor Klobučar(1961-2020)는 2004년에 그것을 에스페란토로 번역했습니다. 그이는 매우 열정적인 에스페란티스트였는데 안타깝게도 지난해에 별세했습니다. 이 책은 로테르담에서 열린 세계 에스페란토 협회 2004년 "올해의 아동도서" 상을 수상했습니다. 그 후 2005년에는 제 두 번째 책 『공포의 삼 남매』도 에스페란토로 번역되었습니다.

『침실에서 들려주는 이야기』와 『공포의 삼 남매』는 유아들과 초등학생을 위한 동화 모음입니다. 취침 시간에 읽을 이야기로 상상했습니다. 물론 낮에도 읽을 수 있습니다.

모든 이야기에는 메시지가 있습니다.

크로아티아 아이들은 그 이야기를 좋아했습니다.

한국 독자들도 이 이야기를 즐기면 좋겠습니다.

『침실에서 들려주는 이야기』와 『공포의 삼 남매』는 2006년 에스페란토에서 일본어로 번역되었습니다.

저는 에스페란토를 잘 구사하지는 못하지만, 에스페란토를 이해하고 좋아합니다. 저는, 한국의 진달래 출판사와의 연락을 도와주는, 크로아티아 에스페란토 협회 회원입니다.

독서 속에서 즐겁게 지내기를 바랍니다.

2021년 12월

앙토아네타 클로부차르

들어가는 말

아주 유명한 '**공포의 삼 남매**' 이야기입니다. 삼 남매란 3명의 오누이입니다. 어린이 애독자 여러분은 한 번도 들어 본 적이 없다고요? 들어 본 적이 없다고요? '작은 숲'에 사는 이라면 누구나 삼 남매를 알고 있는데, 여러분은 '작은 숲'도 못 들어 본 적이 없다고요? 그럼, 그러면 여러분은 너무 무심한 어린이이군요.

그럼, 제가 여러분께 삼 남매 이야기부터 해야겠네요.

여기서 말하는 '작은 숲'은 아-주, 아주 커다란 숲의 가장 깊은 곳을 말합니다. 그럼, 그 커다란 숲이 어디 있느냐고요? 그건 여기서 밝히면 안 됩니다. 제가 그 삼 남매와 약속하였거든요. 이 '작은 숲'에는 수많은 다양한 짐승이 살고 있답니다. 그들 중 곰 가족도 있답니다. **아빠 곰, 엄마 곰,** 그리고 **세 마리의 작은 새끼 곰**이 있습니다. 아빠와 엄마는 덩치가 크고, 힘도 아주 세고, 포효하기도 하지만 아-주 아주 진지합니다. 제가 하고픈 이야기는 엄마 아빠 이야기에 대한 것이 아닙니다. 바로 그들의 어린 새끼 곰 세 마리 이야기입니다. 새끼 곰들 이름은 **나나**(암컷), **페로**(수컷)와 **플라**(암컷)입니다.

나이 가장 많은 나나가 대장입니다. 그들 중에서 나나는 가장 덩치 크고, 힘이 세고, 활발한 성격입니다. 나나는 놀이 생각만 하고 지냅니다. 그 때문에 엄마는 나나에게 좀 더 신중하게 행동하라며 화를 내기도 하고, 어린 동생들이 멍청한 행동을 하지 않도록 주의 주라고 하기도 하고, 또 그들을 부추기지도 말라고 주의를 줍니다. 그러나 그런 말은 나나의 이쪽 귀로 들어갔다가 다른 귀로 흘러 나가버리니, 모든 것은 언제나 똑같습니다.

둘째는 페로입니다. 나나보다 아주 조금 차이로 어리지만, 키는 나나에 비해 아주 작습니다. 그리고 모든 어린 남동생처럼, 나나 누나를 약 올리는 걸 아주 좋아합니다. 그 때문에 자주 그는 누나 곰의 발에 뺨을 얻어맞기도 합니다. 그때 엄마가 이를 알고는 둘 두 녀석에게 야단맞기도 합니다. 그러나 엄마가 모르면 아무 일도 일어나지 않습니다.

막내 플라의 키는 오빠와 똑같아, 모두는 그 오누이를 쌍둥이라고 생각합니다. 막내 플라는 가족의 귀여움을 독차지하고 있습니다. 그리고 플라는 언니 나나를 꼭 닮고 싶어합니다. 나나가 하는 말이면, 그것은 곧 법입니다.

이제, 어린이 여러분은 삼 남매를 이제 알았으니, 우리는 이야기를 시작할 수 있습니다.

아, 그렇군요. 어떻게 그들이 공포의 삼 남매가 되었는지 말하는 것을 깜박 잊었네요. 믿거나 믿지 않거나 간에, 곰돌이 녀석들이 스스로 그렇게 이름을 정했다고 합니다! 사실 그들은 전혀 공포스럽지 않습니다. 대신, 장난꾸러기인 그들은 언제나 쾌활합니다. 그리고 그들을 잘 아는 모두는 그들에게 화를 크게 내는 경우가 있어도 그들을 아주 사랑합니다.

ENKONDUKO

Jen rakonto pri la bone konata Triopo Terura. Triopo signifas, ke estas tri personoj. Ĉu vi neniam aŭdis pri ili? Nekredeble! Ja ĉiuj loĝantoj de Eta Arbaro ilin konas! Kio? Eĉ pri Eta Arbaro vi ne aŭdis? Nu, tio jam estas tro.

Sekve, mi devas komenci tute de la komenco. Eta Arbaro estas la plej profunda parto de iu tre-tre granda arbaro. Kie la granda arbaro troviĝas - mi ne rajtas al vi malkovri. Tion mi promesis al la triopo. En Eta Arbaro vivas multaj diversaj bestoj. Inter ili estas ankaŭ iu ursa familio: paĉjo urso, panjo ursino kaj iliaj tri etaj ursidoj. Paĉjo kaj Panjo estas grandaj, fortegaj, muĝantaj kaj tre-tre seriozaj. Tial mia rakonto ne estas pri ili. La rakonto estas pri iliaj ursidoj.

Ili nomiĝas Nana, Felĉjo kaj Flavinjo. Nana estas la plej aĝa. Ŝi estas la estro. La plej granda, la plej forta kaj vigle-anima el ili. Nur pri ludoj ŝi pensas. Pro tio Panjo ofte koleras kontraŭ ŝi, dirante, ke ŝi devus iom serioziĝi, kaj atenti, ke la fraĉjo kaj franjo ne faru stultaĵojn, kaj certe ne ilin instigi al tio. Sed tiaj vortoj nur eniras en unu orelon de Nana, kaj eliras tra la alia, kaj ĉio restas sama.

La dua ursido estas Felĉjo. Kvankam nur iomete pli juna ol Nana, li estas multe pli malalta. Kaj kiel ĉiu juna frato, li ŝategas provoki Nanan. Tial ofte li ricevas vangofrapon de la fratina bestopiedo. Se Panjo tion rimarkas, ambaŭ puniĝas. Se ne, nenio okazas.

Flavinjo estas la plej juna, sed same alta kiel la frato, kaj ĉiuj pensas ilin ĝemeloj. Ŝi estas karesulino de la tuta familio. Nana estas por ŝi granda modelo. Kion Nana diras, tio estas leĝo.

Jen, vi nun konas la triopon kaj ni povas komenci la rakonton. Ha, jes, mi forgesis diri kiel ekestis la nomo Triopo Terura. Kredu aŭ ne, la ursidoj ĝin elektis mem! Fakte ili tute ne estas teruraj, sed nur petolaj kaj gajaj. Kaj ĉiuj, kiuj ilin konas, multe amas ilin, eĉ se foje oni povas tre forte koleri pri ili.

어떻게 해서 "공포의 삼 남매"가 되었는가?

하루는 우리 주인공인 새끼 곰 삼 남매가 심심했다. 심심하다는 것은 아주 위험한 일이다. 왜냐하면, 세끼 곰들은 심심하기만 하면, 언제나 뭔가 새로운 장난거리를 만들어낸다.

"푸하하하...우린 뭘 하지? 난 당장 놀 수 있거든. 그런데 뭐하며 놀래?" 삼 남매는 너도밤나무 아래 함께 누워 있었다. 그때 나나가 페로에게 물었다.

"새로운 놀이가 지금은 생각나지 않아." 페로는 대답했다.

플라는 한숨만 쉬었다. 지금까지 놀던 모든 놀이는 그들에겐 더는 흥미가 없었다.

그때 그들은 주위에서 뭔가 톡-톡- 두들기는 소리를 들었다. 딱따구리 두 마리가 자신의 부리로 각각 자신이 사는 나무를 쪼아대고 있었다. 쪼는 소리는 음악과 비슷했다.

바로 그때 나나와 페로는 동시에 뭔가를 생각하였지만 나나가 먼저 말했다.

"그래, 알아냈어. 우리 음악대를 한번 만들어 보자! 우리도 저 새들처럼 똑같이 노래도 부르고 놀이도 한판 벌여 보자."

"나도 방금 그 생각 했지!" 페로가 말을 더했다.

"아주 좋아. 나도 대찬성이지!" 플라가 외쳤다.

그들은 아직 음악대 이름을 아직 생각해 내지 않았

다. 그들은 먼저 몇 가지 악기를 준비하기로 하고, 그 때 가서 음악대 이름을 만들기로 했다.

나나는 속이 텅 빈 나뭇가지를 하나 구해 와, 나뭇가지를 입으로 불어 보면서 동시에 자신의 큰 발로 땅을 구르기 시작했다. 페로는 돌 2개를 주워 와, 열심히 서로 부딪혀 보면서 동시에 자신의 두 발로 자신의 발 아래 마른 낙엽들을 건드려 바스락바스락 소리를 냈다. 한편 플라는 힘껏 큰 소리로 고함을 질러 보았다. 그러다 그녀는 때때로 딸꾹질도 했다. 그렇게 그들이 소리를 빽-빽 지르고, 나무를 크게 두들기고, 낙엽들을 바스락 소리 나게 하니, 나무 한 그루 전체가 아주 세게 흔들렸다.

이 삼 남매가 만들어내는 소리를 듣는 모두는 (그리고 이 소리를 작은 숲에 사는 거의 모든 동물이 들었다.) 그 공포감에 자신의 머리를 잡고서, 저 공포가 도대체 무슨 소리이지 하며 스스로 물어보았다.

그 삼 남매의 엄마는 걱정이 되어 서둘러 달려왔다. 엄마는 필시 저 소리라면 자신의 아이들이 누군가로부터 공격당하고 있다고 믿었다. 또 그들이 지금 죽느냐 사느냐 하는 아주 중요한 싸움을 벌이면서 도움을 요청하는 소리로 믿었다.

그들에게 와서 본 엄마는 깜짝 놀랐다. 어머니는 자신의 두 눈을 믿을 수 없고, 두 귀 또한 다소 믿을 수 없다. 나나, 페로와 플라는 너무도 시끄러운 소리를 내고 있었다. 엄마는 그런 시끄러운 소리를 지금까지 들어 본 적이 없다.

혼비백산한 엄마는 이렇게 말할 뿐이다:

"너희들 정말 공포의 삼 남매구나!"

그 말에 그 귀여운 자식들은 환한 웃음으로 외쳤다:

"정말 좋은 이름이에요! 저희에겐 음악대 이름이 꼭 필요했거든요. 안 그래요, 어머니, 우리가 아주 잘 하지요? 우리는 지금까지 어머니 생신날을 위한 공연을 준비하고 있었거든요. 맘에 들지 않나요?"

그러자 난처해진 엄마는 이렇게 말하는 것 외에 달리 말할 수 없다:

"그래, 얘들아, 내 맘에도 쏙 들어. 하지만 좀 살-살 해라. 너무 자주 이렇게 큰 소리를 내며 연습하지는 말구." (그렇게 말하면서, 엄마는 이젠 저 아이들이 절대로 더는 이런 놀이는 하지 말았으면 하고 생각했다.)

지금까지의 수많은 다른 놀이처럼 곧 이 음악대 놀이는 나나, 페로와 플라에게 흥미가 식어 버렸다. 그러자 그 음악대는 그날 하루에 해체되었다. 그러나 그 "공포의 삼 남매"라는 이름은 그들에게 남게 되었다.

KIEL EKESTIS LA NOMO "TRIOPO TERURA"?

Niaj tri ursidoj enuis. Kaj enuo estas afero tre danĝera. Ĉar la ursidoj, kiam ajn enuantaj, ĉiam elpensas iun novan petolaĵon.

- Muĝĝĝ... Kion ni faru? Volontege mi ludus, sed kion? - demandis Nana Felĉjon, dum ĉiuj tri estis kuŝantaj sub faga arbo.

- Mi ne havas ideon, eble ion novan - respondis Felĉjo.

Flavinjo nur suspiris. Ĉiuj ĝisnunaj ludoj ŝajnis al ili neinteresaj.

Tiam ili aŭdis iun frapadon. Temis pri du pegoj, kiuj frapis per sia beko, ĉiu sian arbon. Tio similis al muziko. Kaj tiam Nana kaj Felĉjo samtempe ekpensis, sed Nana la unua diris:

- Jes, mi scias, ni fondos nian muzikan grupon! Ankaŭ ni provos kanti kaj ludi same kiel birdoj.

- Ankaŭ mi ĵus pensis pri tio! - aldonis Felĉjo.

- Bonege, tio vere plaĉas al mi! - kriis Flavinjo.

Nomon por la grupo ili vere ne havis, sed ili decidis unue bone prepari kelkajn melodiojn, kaj ĝis tiam ili certe trovos ankaŭ la nomon.

Nana prenis iun truan branĉon kaj komencis tra ĝi blovi kaj samtempe bati la grundon per la piedego. Felĉjo trovis du ŝtonojn kaj diligente frapegis unu kontraŭ la alian, kaj samtempe faris per piedoj, ke susuru sekaj folioj. Dume Flavinjo muĝis plenforte. Pro tio ŝi de tempo al tempo devis ankaŭ singulti. Tiom ili kriaĉis, frapegis kaj susurigis foliojn, ke la tuta arbaro tremegis. Ĉiuj, kiuj ilin aŭdis (kaj aŭdis ilin preskaŭ ĉiuj loĝantoj de Eta Arbaro), pro teruro kaptis sian kapon kaj sin demandis:

- Kia teruraĵo estas tio?

La patrino de nia triopo alkuris plena de timo. Ŝi kredis, ke iu atakis ŝiajn infanojn, kaj ke ili nun batalas por sia vivo, luktas, kaj alvokas helpon.

Veninte al ili, ŝi haltis konsternite. Ŝi ne povis kredi al siaj okuloj, kaj eĉ malpli al siaj oreloj. Tio estis troa eĉ por Nana, Felĉjo kaj Flavinjo. Pli aĉan bruegon ŝi neniam antaŭe aŭdis.

Konfuzita, ŝi nur diris:

- Vi ja estas vera triopo terura!

La etuloj ĝojplene ekkriis:

- Kia bona nomo! Ĝuste tion ni bezonas por nia grupo. Ĉu ne, Panjo, ni estis bonegaj? Ni ĵus preparas prezentaĵon por via naskiĝtago. Ĝi plaĉas al vi, ĉu ne?

Kaj kion alian povis diri kompatinda Panjo, krom:

- Nu ja, ĝi plaĉas al mi, sed provu esti iom malpli laŭtaj, kaj ne ekzerciĝu tro ofte. (Dirante tion, ŝi pensis: neniam plu.)

Samkiel multaj aliaj ludoj ĝis nun, la muzikumado fariĝis al Nana, Felĉjo kaj Flavinjo malinteresa. Kaj la grupo malfondiĝis en unu sola tago. Sed la nomo "Triopo Terura" restis.

목욕하기 또는 물고기 잡기

엄마는 새끼 곰 삼 남매에게 물고기 잡는 법을 가르쳐 줄 생각으로 그들을 호수로 데리고 갔다. 사실, 나나는 이미 물고기 잡는 법을 알고 있지만, 페로는 조금, 플라는 아직까지 한번도 해 본 적이 없다.

엄마는 호수로의 소풍에 두 가지 목적을 가지고 갔다. 하나는 사냥이요, 하나는 배움이다.

그러나 삼 남매는 이 일을 달리 상상했다. 그들이 "호수"라는 말을 듣자, 그들의 머릿속엔 목욕하기라는 생각이 먼저 들어 왔다. 물고기들은 필시 맛있지만, 삼 남매는 방금 식사한 뒤라, 더 많은 식사는 그들에겐 관심 밖이다.

그들을 호수로 데려온 엄마는 그들을 얕은 물에 세웠다. 그러고는 엄마가 물속으로 들어와 진지하게 말했다.

"먼저 물고기가 보일 때까지 조용히 기다려야 해. 물고기가 보이면 그걸 큰 발로 잡아채서는 물가로 던져야 한단다. 알아들었니? 지금부터, 시작! 어려운 것은 아무것도 없거든요!"

새끼 곰 삼 남매는 무덤덤하게 엄마의 말을 들었다. 나나는 물고기 세 마리를 잡자 심심해졌다. 페로는 한 마리만 잡았고, 둘째 물고기는 페로를 피해 내빼는데 성공했다. 그런데 플라는 아무리 해도 물고기 한 마리도 잡을 수 없었다. 막내가 겨우 한 마리를 잡으려는 순간 미끄러지는 바람에, 요란스럽게 또 아주 흥미로운 스타일로 물속에 넘어져 버렸다. 막내는 지금 이 순간이 자신의 주변에 있는 모든 것에 물을 튕기며 뛰어오르기와 같은 대회라면, 그가 우승할 수 있을 것 같은 스타일이었다.

그것은 운명의 신호 같았다. 엄마가 몸을 돌려 보기도 전에, 나나와 페로는 이미 물속에 들어가 있었다. 삼 남매는 서로 물을 튀겼고, 그들이 할 수 있는 만큼 물을 때렸다. 그러면서 한편으로 그들은 외쳤다:

"만-세-!"

"둘째를 물속에 집어넣자!"

"…내게 물을 튀기진 말아."

"…왜 넌 날 밀쳐…"

"네가 지금 내 발을 밟았거든."

등등.

물고기들은 소란을 전혀 좋아하지 않는다. 그렇게 우리 삼 남매가 즐겁게 놀이에 빠진 지 채 2분이 지나기도 전에, 모든 물고기는 겁을 집어먹고 달아나 버렸다.

엄마는 처음엔 불만이다. 하지만, 그들이 물에서 그만큼 즐겁게 노는 것을 보고는 그들이 목욕하는 것을 그대로 보고만 있다.

그들은 물속에서 헤엄치면서 서로를 물속으로 밀어 넣어 보기도 하고 물을 튀기며 소리 지르기도 하였다. 나중에 그들은 반쯤 물에 잠겨 있는 미끄러운 바위 하나를 발견했다. 곧장 그들은 그 바위 위로 올라가서는 내려가면서 회전하는 미끄럼틀 같은 미끄럼을 탔다. 플라는 겁이 나기도 하지만 한편으로 재미있기도 해 고래 고래 소리 질러 목이 쉬었다.

또 플라가 포효하듯 미끄럼 타는 모습은 아빠의 모습을 보는 것 같았다. 그 순간은 플라 자신이 아닌 것 같았다.

공포의 삼 남매가 놀고 있는 그곳으로 다른 어머니 곰들도 자식들을 데리고 물고기 잡는 법을 가르치러-왔다.

그날 호수에는 5마리의 또 다른 새끼 곰이 보였다. 그들도 물고기 잡기보다는 목욕하기를 원했다. 어머니들은 어쨌든 물고기 잡기엔 너무 시끄럽다고 결론을 내렸다. 그래서 물고기 잡기 수업은 일찌감치 마치고 모두 목욕을 시작했다. 새로 다섯 마리의 새끼 곰이 오는 바람에 목욕은 더욱 유쾌하고 요란했다. 온 사방에서 들려오는 것은 “한껏 솟았다가 첨-벙 하며 잠수하기, 꽤-액 하며 울음을 터뜨리기, 아뿔싸!” 와 비슷한 소리뿐이다.

어머니들은 자신의 자녀를 제지하려 했지만, 곧 불가능함을 알아차렸다. 그 때문에 그들은 그늘 속에 누워 휴식을 즐기고 있다.

밤이 되어서야 새끼 곰들은 뭍으로 나왔고, 그때 어머니들은 집에 가려고 그들을 엄한 외침으로 불러 모았다.

피곤하기도 하고 또 너무 재미있었던 나나와 페로와 플라는 자신의 숙소로 뒤뚱거리며 갔다. 그들이 그렇게 걸어가는 동안, 갑자기 플라가 말했다.

"엄마, 물고기 잡는 게 이리 재미있는 줄 전혀 몰랐어요. 내일도 저 호수로 갈 거지?"

"아, 엄마, 우리 갈 거지요? 제발, 엄마, 제발요!"

곧장 페로와 나나도 거들었다.

엄마는 아무 대답도 하지 않았다. 엄마는 다만 어쩔 수 없다는 듯이 고개를 흔들며 한숨 쉬었다.

BANIĜO AŬ FIŜKAPTADO

Panjo kondukis la ursidojn al lago, kun la intenco instrui ilin kapti fiŝojn. Vere, Nana tion jam scipovis, Felĉjo iom-tiom, kaj Flavinjo tion neniam provis. Do Panjo imagis lago-ekskurson kun la celoj: ĉasi kaj lerni. Sed la ursidoj imagis la aferon alie. Kiam ili aŭdis "lago", unue en iliajn kapojn venis ideo pri baniĝo. Fiŝoj certe estas bongustaj, sed la ursidoj estis ĵus manĝintaj, kaj plua manĝado ilin tute ne interesis.

Kiam ili venis al tiu lago, Panjo ilin starigis en malprofundan akvon. Post tio ŝi eniris en la akvon kaj serioze diris:

- Staru trankvile, ĝis vi rimarkos fiŝon. Tiam rapide frapu ĝin per piedego, kaj elĵetu ĝin al la bordo. Ek, provu! Nenio malfacila!

La ursidoj seninterese obeis. Nana kaptis tri fiŝojn kaj tiam tediĝis. Felĉjo kaptis nur unu, kaj la dua sukcesis fuĝi. Nur Flavinjo neniel povis trafi fiŝon. Kiam ŝi estis preskaŭ kaptinta unu, ŝi forglitis kaj brue falis en la akvon per tre interesa stilo. Mi pensas, ke ŝi povus venki en iu salto-konkurso, kie la celo estas ŝprucumi per akvo ĉiujn ĉirkaŭ si.

Tio estis kvazaŭ signo de la sorto. Antaŭ ol Panjo sukcesis turniĝi, jam Nana kaj Felĉjo estis en la akvo. Ĉiuj tri sin reciproke ŝprucumis kaj frapis la akvon, kiom ajn ili povis. Dume ili kriis:

- HURAAA, subakvigu lin, ...ne ĵetu la akvon al mi, ...kial vi puŝas min, ...vi staras sur mia piedo ktp.

Fiŝoj tute ne ŝatas bruon, kaj tiel nia triopo sukcesis fortimigi ĉiujn fiŝojn en apenaŭ du minutoj.

Panjo komence malkontentis, sed vidinte, kiom ili ĝuas la akvon, ŝi permesis, ke ili baniĝu.

Ili naĝis subakve, puŝadis unu alian sub la akvon, ŝprucumis sin kaj muĝis plenbrue. Poste ili malkovris glitan rokon, kiu staris duone en la akvo, kaj duone super ĝi. Tuj ili lasis sin gliti laŭ ĝi, kvazaŭ sur tobogano. Flavinjo dume tiom kriegis pro timo kaj entuziasmo, ke ŝi raŭkiĝis.

Kiam ŝi provis muĝi, ŝajnis, ke tion faras Paĉjo, kaj ne ŝi.

Al tiu loko ankaŭ aliaj patrinoj ursinoj kondukas siajn etulojn por fiŝkapta instruado. Kaj tiutage troviĝis ĉe la lago kvin pliaj ursidoj.

Ankaŭ ili deziris baniĝi. La patrinoj konkludis, ke ĉiukaze estas tro brue por la fiŝkaptado. Sekve do finiĝis la lernejo kaj komenciĝis banado. Kaj, pro alveno de novaj kvin ursidoj, la baniĝo estis eĉ pli gaja kaj laŭta. De ĉiu flanko aŭdeblis: ŜPRUCCC, PLJUSSSSS, MUĜĜĜ, VE! kaj simile.

Ĉiuj patrinoj provis kontroli siajn ursidojn, sed baldaŭ ili konvikiĝis, ke tio ne eblas. Tial ili simple kuŝiĝis en ombro, kaj ĝuis la ripozon.

La ursidoj forlasis la akvon nur kiam komencis noktiĝi, kaj kiam la patrinoj ilin alvokis per severaj krioj.

Lacaj kaj ravitaj, Nana, Felĉjo kaj Flavinjo ŝancele iris al sia dormejo. Dum ili tiel iris, subite ekparolis Flavinjo:

- Panjo, mi tute ne sciis, ke fiŝkaptado estas tiom interesa! Ĉu ankaŭ morgaŭ ni povus iri al tiu lago?

- Ha, Panjo, ĉu ni iru? Mi petas vin, Panjo, mi petas vin! - aldonis tuj Felĉjo kaj Nana.

Panjo respondis nenion. Ŝi nur senpove kapsvingis kaj suspiris.

곰이 꿀 좋아하지만 새끼 곰은 더욱 더!

나나, 페로와 플라는 꿀이 먹고 싶어 안달이 나 있었다. 그들은 아빠 주위에서 아양을 부려, 아빠가 꿀을 조금이라도 더 가져다주었으면 하고 보채고 있었다. ("아주 큰 조금"도 좋구요!)

아빠는 누군가가 자신의 등을 긁어주면 좋아하시는 것을 아는 나나는 아빠 등을 긁어드렸다. 플라와 페로는 아빠의 품에 안긴 채 보채고 또 보챘다.

"아빠, 아빠, 아주 조금이라도 좋으니 저희를 위해 꿀 좀 따 주셔요!"

"우리 아빠가 이 세상에서 가장 좋은 분이세요! 이 숲에서 우리 아빠가 모든 곰 중에서 가장 힘세고, 가장 현명하고, 또 가장 노련하시구요. 그러니 아빠가 꿀을 가져오는 일이란 아무 문제가 없지요!" 그들은 쉼 없이 조르고 또 조른다.

그러나 나무 아래 방금 누운 아빠는 그 말에도 불구하고 꼼짝도 하고 싶지 않다.

"어서요, 아빠, 일어나세요. 꿀 따러 가세요. 이렇게 계시면 안 되지요!" 플라가 마침내 말했다.

그렇게 반 시간을 조르고 조르자 마침내 새끼 곰들이 이겼다. 어쩔 수 없이, 아빠는 자리에서 일어나, 온몸을 뒤뚱거리며 천천히 걸어갔다. 그러면서 그는 불평했다:

"저 세 녀석과 함께라면 잠시라도 편히 지내지 못하

겠어. 정말 지금은 자고 싶은데도!"

아빠가 꿀을 찾는 데는 오랜 시간이 걸리지 않았다. 3일 전에 그는 벌집 한 곳을 봐 두었다. 그러나 이 벌집은 너무 높은 곳에 있어, 이를 따려고 나무에는 올라가고 싶지 않았다.

그가 벌집이 달린 나무에 다가가서는 벌집을 떨어뜨리려고 그 나무를 흔들어 보았다. 그런데 애석하게도, 그렇게 나무를 흔들자, 그 벌집 안에 있던 수많은 벌이 한꺼번에 공격해 왔다. 벌들이 그를 악착같이 쫓아오자, 그는 가까운 강물에 몸을 숨겨야 했다. 벌침 몇 개를 맞았지만, 그는 전혀 위험하지 않고 견딜만했다.

나중에 아빠는 반 시간을 기다리고서 몰래 그 나무로 다시 왔다. 그리고는 천천히 그 나무에 올라가기 시작했다. 안타깝게도 벌들은 아직 자리를 지키고 있었다. 그가 꿀이 있는 곳에 아주 가까이 가자, 벌들이 그를 발견하였다. 이번에는 일백 마리의 꿀벌이 한꺼번에 그를 공격했다. 그들은 아빠 곰의 발이면 발, 얼굴이면 얼굴, 몸이면 몸 어느 곳이든지 벌침을 쏘았다. 가련한 아빠 곰은 어떻게든지 벌을 피하려고 애써다가 그만 그 나무에서 미끄러져 땅으로 쿵-하고 떨어졌다. 더 아쉬운 것은 꿀을 조금도 손에 넣지 못했다. 그러나 그가 나무에서 미끄러져 떨어지는 바람에 그 나무는 아주 세게 흔들렸다. 그 바람에 그만 나무에 달려 있던 벌집이 떨어졌는데, 떨어지는 벌집이 아빠 머리에 바로 맞혔다.

불쌍한 아빠! 지금 아빠는 아무것도 볼 수 없다. 난

폭해진 벌들이 다시 아빠를 향해 벌침을 쏘기 시작했다. -아주 세게 쏘며, 거의 죽음에 이를 정도로 아프게. 그 때문에 아빠는 아주 세-게 고함을 질러댔다.

다행히 그때 어린 나나, 페로와 플라는 아빠를 따라와, 이 모든 상황을 보았다. 삼 남매는 아빠 머리가 벌집을 뒤집어쓴 채, 이리저리 뒹구는 모습이 아주 우스웠다.

"아빠, 아빠는 지금 어릿광대 놀음을 하고 계시지요? 그럼, 성공하셨어요! 정말 진짜 같아요!" 플라가 아주 성원을 보내며 외쳤다. 하지만 나나는 벌침에 쏘여 본 적이 있어, 이를 맞으면 정말 따끔함을 안다. 그래서 나나는 얼른 아빠의 머리에 떨어진 벌집을 떼어 냈다. (그 점을 플라는 못내 아쉬워했다).

아빠의 몸에는 여기저기 작은 수포가 생겨, 부어오르기 시작했다. 수포들은 붉은 것도 있고, 파란 것도 있다. 이런 상처로 인해 아빠는 아프다. 그러나 페로와 플라에게는 그런 아빠 모습이 아주 좋아 보였다. 가장 흥미로운 것은 작은 수포들이 연이어 부어오른다는 것이다. 어린 두 오누이는 다음에는 작은 수포가 어느 곳에 부어오를지 추측하는 놀이를 즐기고 있었다.

아버지의 도움을 받은 나나는 꿀이 든 벌집을 들고, 우리의 곰 가족 모두는 집으로 천천히 돌아왔다.

URSOJ ŜATAS MIELON, SED URSIDOJ EĈ PLI!

Nana, Felĉjo kaj Flavinjo ege ekdeziris mielon. Ili flatumis ĉirkaŭ Paĉjo provante lin persvadi, ke li alportu por ili iomete da mielo. (Se estos "iomege", des pli bone!) Nana eĉ frotis lian dorson, sciante, ke li tion multe ŝatas. Flavinjo kaj Felĉjo sidis en lia sino kaj petadis:

- Paĉjo, Paĉjo, trovu por ni almenaŭ iomete da mielo!

- Vi estas la plej bona paĉjo en la mondo! Krome vi estas la plej forta, saĝa kaj lerta el ĉiuj ursoj en la arbaro. Ja nenia problemo estas por vi trovi mielon! - konvinkadis lin ili senhalte.

Sed Paĉjo estis ĵus kuŝiĝinta sub arbo, kaj ne deziris fari eĉ unu movon.

- Ek, Paĉjo, ekstaru kaj iru serĉi mielon, kaj ne estu tia! - diris Flavinjo fine.

La persvado daŭris plenan duonon da horo, kaj la ursidoj finfine venkis. Malvolonte, Paĉjo ekstaris kaj foriris, malrapide balancante sian tutan korpon. Dume li plendis:

- Kun tiu triopo oni ne havas eĉ momenton da paco. Kaj tiom volonte mi nun dormetus!

Mielon li ne devis serĉi longe. Jam antaŭ tri tagoj li vidis iun abelujon. Sed ĝi troviĝis tro alte, kaj li ne emis grimpi.

Kiam li atingis la arbon, sur kiu estis la abelujo, li skuis ĝin, esperante ĝin faligi. Bedaŭrinde, li sukcesis ricevi nur furiozon de la abela aro. La abeloj lin postkuris tiom serioze, ke li devis trovi savon en proksima rivereto. Nur kelkajn pikojn li gajnis, kio cetere tute ne estas danĝera.

Poste Paĉjo atendis duonon da horo kaj tiam kaŝe revenis al la arbo, kaj komencis malrapide grimpi. Je lia malbonŝanco, la abeloj ankoraŭ estis singardaj, kaj rimarkis lin, kiam li estis jam tute proksima al la mielo. Centope ili atakis lin samtempe. Ili pikadis lin ĉie, en la piedojn, en la vizaĝon kaj korpon. La kompatindulo provis sin defendi, sed tiam li deglitis kaj falegis sur la teron plenfrape. Kaj plej malbone: sen mielo. Sed, post kiam li falis, la arbo tiom multe skuiĝis, ke la abelujo defalis kaj trafis ĝuste lian kapon.

Povra paĉjo! Nun li nenion povis vidi, kaj furiozaj abeloj denove lin komencis piki - tiom sovaĝe, ke li povus eĉ morti. Tial li vekriis laŭtege.

Bonŝance, Nana, Felĉjo kaj Flavinjo lin sekvis kaj vidis ĉion. Ili trovis, ke Paĉjo tre ridinde aspektas kun la abelujo sur la kapo, stumblante ien-tien.

- Paĉjo, ĉu vi intence ludas klaŭnon? Ege sukcese! Kvazaŭ la vera! - entuziasme kriis Flavinjo. Nana tamen sciis, ke abelpikoj estas tre malagrablaj kaj rapide demetis la abelujon de sur lia kapo (je bedaŭro de Flavinjo).

Paĉjo nun havis la haŭton kovritan per fliktenoj, ruĝaj kaj bluaj, kaj ĉio lin doloris. Sed Felĉjo kaj Flavinjo tre ŝatis lian aspekton. Plej interese estis, ke ĉiam aperadis novaj fliktenoj, kaj ambaŭ ursidoj ludis divenante kie aperos iu nova.

Nana kun helpo de la patro eltiris mielon el la abelujo, kaj ĉiuj malrapide foriris hejmen.

꿀과자

엄마는 꿀을 들고 집으로 돌아오는 네 식구를 보고는 걱정이 되어 자신의 머리를 두 손으로 감쌌다. 맨 먼저 나나가 꿀이 흘러나오는 벌집을 들고 의기양양하게 들어섰다. 나나 뒤에 작은 온몸이 수포투성이가 된 채로 아빠가, 그 뒤에 기뻐하며 플라와 페로가 뛰어들어 왔다.

그 두 녀석은 곧장 외치기 시작했다;

"엄마, 엄마! 우리가 꿀 얼마나 많이 가지고 왔는지 보세요! 꿀과자 만들어 주세요! 지금 당장!"

그러나, 그들에겐 나쁘게도, 엄마는 조심스레 대답한다.

"먼저 아빠 몸에 박힌 벌침을 빼내야지. 과자는 내일 해 먹자."

벌침에 몸이 상한 아빠 몸의 아픔을 좀 가시게 하려고 아빠와 엄마는 강가로 갔다.

이제 귀여운 삼 남매만 서로 쳐다보았다. 그들은 지금 과자를 먹고 싶다. 누가 내일까지 그것을 참을 수 있을까?

"엄마가 우리에게 과자를 만들어 주지 않으시면, 우리가 직접 만들어 보자!" 나나가 결심하여 말했다.

"아주 좋은 생각이네. 바로 그거야!... 하지만 난 과자 만들 줄 몰라......" 플라는 슬픈 표정을 지었다.

"그건, 그것은 어려운 일 아니야. 누나가 잘 알걸. 누나는 몸집도 크거든!" 페로가 말했다.

“물론, 알지!” 나나는 아주 자신 있게 나나는 대답했다.

그들은 이제 가져온 벌집을 집어서는, 이를 자신의 발로 짓이기기 시작했다. 곧 꿀이 그들 발의 털을 통해 강물처럼 흘러나왔다. 플라는 머리부터 발끝까지 꿀로 끈적끈적하게 되었다. 이제 나나는 월귤나무에 달린 귤과 딸기를 따러 나갔다. 나나가 가는 곳이면 어디든지 꿀의 흔적이 남았다. 그때 그들은 플라에게 배를 가져오라고 보냈다. 배를 가지러 가던 플라는 온몸이 꿀로 끈적끈적했다. 그런데 플라가 배가 든 큰 항아리 앞에서 그만 미끄러지는 바람에 그 큰 항아리 안으로 미끄러져 들어갔다. 마침내 그 항아리 안에는 플라만 보였다. 그 안에 담겨 있던 배들은 모두 집안의 여기저기에 흩어져 있었다. 나중에 수습한 플라는 손에 배 몇 개를 집어 들었다. 그녀의 두 발엔 아직도 꿀이 붙어 있다. 그녀는 입맛을 다시면서 돌아왔다.....

그동안 나나와 페로는 꿀과 귤과 딸기 반죽을 만들었다. 그렇게 흩어 놓는 바람에 그들 스스로 마치 큰 과자 같았고, 과자 모양은 곰이 되어 버렸다.

“여기에 엄마가 씨앗들을 눌러 만든 가루도 함께 넣어야지. 페로, 그 가루 가져와!” 나나가 명령했다.

페로는 순순히 어느 구석으로 가서 가루가 있는 곳을 발견했다. 그런데 약간의 가루가 그의 콧속으로 들어갔다. 그 바람에 그는 아주 크게 재채기를 했다. 그러자 그 많던 가루가 사방으로 흩날렸다.

이제, 우리 삼 남매는 머리부터 발끝까지 하얗게 되

어 버렸다. 오, 이런 낭패가! 그들은 꿀로 또 가루로, 또 열매들로 인해 더 잘 붙었다! 그러니 가루를 떼어 내기란 불가능했다. - 그 때문에 그들 모습은 마치 하얀 곰돌이 선물 세트처럼 보였다.

더 나쁘게 된 것은 그들뿐만 아니라 온 집안이 가루를 뒤집어쓴 꼴이 되었다.

페로와 플라가 그런 서로의 모습을 보자, 그들은 아주 세게 웃어 배가 아플 지경이었다.

“하, 하, 하!!!” 온 집안이 떠나갈 정도였다.

“막내야, 넌 정말 웃기게 생겼어!” 페로는 그렇게 웃으면서도 겨우 말할 수 있었다.

“야, 오빠는 더 못생겼어!” 웃음 반 눈물 반 플라는 말했다.

“나나 언니도!” 플라가 눈물을 닦고, 또 웃으면서 계속 말했다.

나나는 먼저 그들과 계속 웃었지만, 곧 엄마 생각이 났다. 나나는 정신을 차리고 집안을 정돈하기 시작했다. 그러나 정돈하기란 전혀 쉽지 않았다. 나나가 꿀을 닦아내면 낼수록 그 집은 더욱 더렵혀져 버렸다. 낭패한 나나는 앉아 울음을 터뜨렸다.

“우린 이제 틀림없이 매 맞을 준비를 해야겠어! 이를 어쩌나!! 또 우린 그렇게 애썼는데도 말이야!” 나나는 울음을 그치지 않고 말했다.

그 순간 아빠와 엄마가 돌아왔다. 이제, 정말 부모는 볼거리가 많아졌다! 꿀과 가루로 칠해진 어린 녀석들과 엉망이 되어 버린 집안을! 다행히도 엄마는 아이들이 정말 도와주기 위해 그렇게 일이 벌어진 줄 알고, 자식들을 꾸짖지 않았다. 엄마는 이렇게 말할 뿐이다:

"우리 함께 집 안을 정리하자. 그러고는 우리는 너희가 만든 과자 먹자구나."

집 안 정리를 마치자, 곰 가족은 자신들이 만든 꿀과자를 5등분으로 나눠, 남김없이 맛있게 먹어치웠다.

"평생 살면서 이렇게 맛난 꿀과자는 먹어 본 적이 없구나!" 부모는 말했다.

나나, 페로와 플라는 자신감으로 용기가 백배했다.

그러나 나중에, 그들은 다음 요리 때에는 혼돈된 오늘처럼 하지 않겠다는 약속해야 했다.

LA MIELKUKO

Vidinte ilin kvar revenantajn hejmen kun la mielo, Panjo pro zorgo manpremis sian kapon. La unua iris Nana, venkoplene portante ĉelojn el kiuj likis mielo. Malantaŭ ŝi stumblis Paĉjo plena de fliktenoj, kaj poste ĝoje saltetis Flavinjo kaj Felĉjo.

Tiuj du etuloj tuj komencis krii:

- Panjo, Panjo! Vidu kiom da mielo ni havas! Faru al ni mielkukon! Tuj!

Sed, malbone por ili, Panjo nur zorge respondis:

- Unue mi devas eltiri pikilojn el la haŭto de Paĉjo. La kuko atendos ĝis morgaŭ.

Paĉjo kaj Panjo foriris al la rivereto, por mildigi la pik-vundojn per akvo.

La etuloj rigardis unu la alian. Ili volis la kukon nun. Ja kiu eltenos ĝis morgaŭ?

- Se Panjo ne volas fari al ni la kukon, ni mem faros ĝin! - decide diris Nana.

- Bonege, jes!... Sed mi ne scias fari kukojn.... - tristiĝis Flavinjo.

- Nu, tio ne estas granda afero, Nana certe scios. Ŝi estas ja granda! - diris Felĉjo.

- Kompreneble, ke mi scias! - tre memfide

respondis Nana.

Ili do prenis la mielan ĉelaron kaj komencis ĝin knedi per la piedegoj. Baldaŭ amaso da mielo fluis tra iliaj feloj kvazaŭ riveroj. Flavinjo havis gluaĵojn ekde la kapo ĝis la piedoj. Poste Nana eliris serĉi berojn de mirtelo kaj fragojn. Kie ajn ŝi pasis, postrestis mielospuroj. Tiam ili sendis Flavinjon por piroj. Ĉar ŝi estis tute glua, ŝi deglitis kaj falis ĝuste en la grandan vazon kun piroj. Fine en la vazo troviĝis nur Flavinjo, kaj la piroj troviĝis ĉie en la hejmo. Ŝi kolektis kelkajn, kaj revenis, ŝmacante per la piedoj tra la mielo.

Intertempe Nana kaj Felĉjo tiom malpuriĝis per la miksaĵo el mielo, mirteloj kaj fragoj, ke ili mem aspektis kiel grandaj kukoj, nur urso-formaj.

- Tie oni devas aldoni ankaŭ farunon, kiun Panjo ricevas premante semojn. Felĉjo, alportu la farunon! - ordonis Nana.

Felĉjo obee foriris al iu angulo kaj alportis la farunon. Sed dume iom da faruno eniris en lian nazon, kaj li ternis tiom forte, ke la tuta faruno forflugis ĉiuflanken.

Jen, nia triopo estis nun ankaŭ blanka de la kapoj ĝis la piedoj. Ho, veee, kiel gluaj ili estis pro mielo, faruno kaj beroj! Kaj la farunon ne eblis forigi - tial ili similis al blankaj ursaj monumentoj.

Por ke estu eĉ pli malbone, ne nur ili estis kovritaj per faruno, sed ankaŭ la tuta hejmo.

Kiam Felĉjo kaj Flavinjo vidis unu la alian, ili ridegis tiom forte, ke la ventroj ilin ekdoloris.

- Ha, ha, ha!!! - bruis tra la tuta hejmo.

- Kiom ridinda vi estas! - Felĉjo apenaŭ sukcesis eldiri pro rido.

- Ja vi mem ne estas pli bela! - rido-larme muĝis Flavinjo.

- Kaj vidu nur Nanan! - daŭrigis Flavinjo, viŝante larmojn kaj eksplode ridante.

Nana unue ridadis kune kun ili, sed baldaŭ ŝi rememoris Panjon. Ŝi fariĝis serioza kaj komencis refari ordon. Sed la laboro estis tute ne facila. Ju pli ŝi viŝis la mielon, des pli aĉe la hejmo aspektis. Senespere Nana sidiĝis kaj ekploris.

- Certe ni ricevos batojn! Snuf!!! Kaj tiom multe ni diligentis! - hurlis ŝi tutvoĉe.

En tiu momento alvenis la gepatroj. Nu, vere ili havis multon por vidi! La ursidojn farbitajn per mielo kaj faruno, kaj plene detruitan hejmon. Bonŝance, Panjo sciis, ke ili fakte volis helpi, kaj tial ŝi tute ne riproĉis ilin. Ŝi nur diris:

- Ni kune ordigos la hejmon. Kaj poste ni manĝos vian kukon.

Kiam la laboro finiĝis, la kukon ili dividis je kvin egalaj pecoj, kaj formanĝis ĝin frande.

- La plej bona mielkuko en nia vivo! - konstatis la gepatroj.

Nana, Felĉjo kaj Flavinjo brilis pro fiero kaj kontento.

Sed poste ili devis promesi, ke dum sekva kuirado ili faros malpli da kaoso ol hodiaŭ.

숲속의 정령

식사를 마친 뒤, 엄마는 아이들에게 강가로 가서 스스로 몸을 씻고 오게 했다. 그러나 이미 날이 저물어 주위가 어둡기 시작해, 아이들은 전혀 그곳으로 가고 싶지 않았다. 하지만 엄마는 양보하지 않았다.

"이런 지저분한 모습이면 침대로 못 간다!" 엄마는 엄하게 말했다.

"엄마, 어두운 곳을 다니는 게 제일 무서워요!" 플라가 콧소리로 말했다.

"저도 겁나요!" 나나도 크지 않은 소리로 말했다.

그래도 엄마는 양보하지 않았다.

"너희가 더 일찍 출발하면 더 일찍 돌아오지!" 엄마는 조용히 대답했다.

하는 수 없이 새끼 곰들은 강을 향해 출발했다. 그들이 키 작은 나무들 사이로 난 좁은 길을 지나갈 때, 페로는 겁이 나서 심장이 좀 떨린다고 말했다. 그들은 지금 아주 피곤하기도 하다. 그 때문에 그들은 마치 귀신처럼 아무 말 없이 발걸음만 천천히 옮기고 있었다.

그들이 다람쥐 아줌마가 사는 나무 구멍을 지나면서 길 위의 나뭇가지를 부러뜨렸다. 그 바람에 다람쥐 아줌마가 잠을 자다 깼다. 아줌마는 자신을 깨운 예의 없는 녀석이 누구인지 알아내 야단이라도 쳐보려고 밖으로 머리를 내밀었으나, 그들의 모습을 보고는 두려워 그 다람쥐 아줌마는 아무 말도 하지 못했다.

아줌마가 밖을 내다보니, 자신이 사는 나무 아래에 작은 귀신 셋이 지나가는 것을 발견했다. 겁에 질린 아줌마는 급히 자신이 사는 나무 구멍 안으로 몸을 숨겼다. 그리고 조금 뒤 용기를 좀 더 내어, 아줌마는 한 번 더 몰래 내다봤다. 세 개의 이상한 물체들이 강 쪽으로 가고 있는 것을 보았다. 겁 많은 아줌마 다람쥐는 그날 밤, 그 뒤로 자지 못했다.

같은 시각에, 나나와 페로와 플라는 이런 아줌마 다람쥐에 대해선 아무것도 모른 채, 천천히 강으로 걷고 있었다. 강가에서 그들은 몸을 잘 씻었다. 그리고는 그들은 기진맥진한 채 집에 도착했다. 그리고 그들은 침대에 가자마자 곧장 잠들었다.

다음 날 아침, 숲에 귀신이 셋이나 나타났고, 그 귀신들은 아줌마 다람쥐를 붙잡아 가려 했으나, 그 아줌마는 필사적으로 달아 날 수 있었다는 소식이 온 숲에 퍼졌다. 그 소식에 온 숲은 아주 공포 분위기였다. 곰 3마리가 강에서 죽임을 당했는데 그 죽은 곰들의 귀신이 지금 복수하려고 한다는 이야기가 떠돌았다. 그러자 짐승들은 저녁이 되자 서둘러 자신의 집으로 갔다. 그리고 밤이 되자, 아무도 밖으로 나오지 않았다.

모두는 귀신이 나타났다는 소식에 겁을 집어먹고 숨었다. 새끼 곰들도 엄마에게 기댄 채 떨고 있었다. 이제 그들은 잠도 제대로 자지 못할 처지였다.

“귀신은 없단다! 아마 아줌마 다람쥐가 뭘 잘못 본 거야.” 그렇게 아빠는 그들을 설득했다.

“너희들은 그 아줌마가 겁이 아주 많다는 걸 알지.

겁 많은 이는 눈이 크단다.” 엄마가 말했다.
그러나 그 말은 아무 도움이 되지 않았다. 그 새끼 곰들이 잠들자마자, 곧 갑자기 깨어나 떨기 시작했다. 그렇게 밤새 깨었다 몸을 떨기를 반복했다. 다음 날 아침 그들은 피곤하고 잠도 설쳤다. 서로 말을 걸지도 않고, 힘도 없이 그들은 집 안에서 이리저리 돌아다니기만 하고, 아무 흥미라곤 없다. 그리고 다시 밤이 되었다. 또 모든 일이 되풀이되었다. 새끼 곰들은 다시 잠자고 싶은 용기가 나지 않았다.
작은 그늘만 보아도 그들은 무슨 귀신을 보는 것 같았다. 부모는 밤새도록 그들을 설득하고, 위로했다. 하지만, 피곤에 지친 그들이지만 눈은 감으려고 하지 않았다.
엄마 곰은 이제 이 문제를 진지하게 걱정했다. 다음 날 아침, 엄마는 아줌마 다람쥐를 찾아가, 정말 무슨 일이 벌어졌는지 물어보았다. 아줌마는 그 날의 공포스런 순간을 말하기 시작했다. 그 이야기를 중간쯤 듣던 엄마 곰은 웃기 시작하더니, 그만 웃음을 터뜨리고 말았다. 그러자 숲의 저 먼 곳까지 엄마 곰의 목소리가 들리는 것 같았다.
아줌마 다람쥐는 깜짝 놀랐다.
‘그렇게 무서운 걸 내 평-생 본 적이 없는데. 이 아줌마 곰은 이렇게 웃음을 터뜨리니!’ 아줌마 다람쥐는 생각했다. ‘그게 무슨 웃을 일인가?’
“그건 우리 아이들입니다!” 엄마 곰은 웃음을 겨우 참고서 말했다.

“그날 그들 온몸은 꿀과 가루로 범벅이 되었거든요. 그래서 씻고 오라고 강가로 보냈어요."

아줌마 다람쥐는 마침내 평온을 되찾았으나 동시에 그녀는 만족하지 못했다. 그 귀신이 진짜가 아니라서.

‘내가 너무 무서움을 타서 그랬구나!’ 다람쥐 아줌마가 생각했다.

“다시 그 공포의 삼 남매가 한 일이군요. 그들은 언제나 말썽을 만들어내니.”

SPIRITOJ EN LA ARBARO

Post la manĝo Panjo sendis la ursidojn al la rivereto, por ke ili sin lavu. Sed jam estis malluma nokto, kaj ili tute ne emis iri. Tamen Panjo ne volis cedi.

- Ĉi-tiaj malpuraj vi ne iros al la lito! - diris ŝi severe.

- Panjo, mi timas iri en mallumon! - snufis Flavinjo.

- Ankaŭ mi timas! - nelaŭte aldonis Nana.

Sed Panjo ne cedis.

- Ju pli frue vi ekiros, des pli frue vi revenos! - respondis ŝi trankvile.

La ursidoj malgaje foriris rivereten. Felĉjo diris, ke li ne timas, sed ankaŭ lia koro iom tremis, dum ili per mallarĝa vojo iris tra arbustaro. Ankaŭ tre lacaj ili estis. Pro tio ili trenis sin malrapide, sen ajna vorto, ĝuste kiel spiritoj.

Dum ili preterpasis la arbotruon de sinjorino sciuro, ili rompis branĉeton surtere kaj tiel vekis la sciurinon. Ŝi elmetis la kapon por riproĉi la malĝentilulojn kiuj ŝin vekis, sed la timo kaptis ŝin tiom, ke ŝi ne povis paroli.

Ŝi vidis tri etajn spiritojn, kiuj preterpasas la

arbon. Timoplena, ŝi rapide retiriĝis en la truon. Kaj,[komo] iom rekolektinte la kuraĝon, ŝi ŝtelrigardis ankoraŭ unu fojon. Denove videblis tri strangaj estaĵoj, irantaj al la rivereto. La timema sciurino tiunokte ne plu povis dormi.

Samtempe Nana, Felĉjo kaj Flavinjo, nenion sciante, malrapide altrenis sin ĝis la rivereto. Ili bone lavis sin kaj per lastaj fortoj atingis la hejmon. Kaj, apenaŭ enlitiĝinte, ili tuj ekdormis.

Matene la tutan arbaron trairis la novaĵo, ke en la arbaro oni vidis spiritojn. Kaj ke la spiritoj eĉ volis kapti la sciurinon, sed ŝi lastmomente sukcesis fuĝi. Granda teruro regis en la arbaro. Aperis rakontoj pri tri murditaj ursidoj sur la rivereto, kies spiritoj nun volas venĝi. Tial vespere ĉiuj bestoj rapidis al siaj hejmoj. Kaj, kiam noktiĝis, neniu plu eliris eksteren.

Ĉiuj kaŝiĝis pro timo antaŭ la spiritoj. Ankaŭ la ursidoj tremadis apogitaj al Panjo. Neniel ili povis endormiĝi.

- Ne ekzistas spiritoj! Certe la sciurino ion misvidis - konvinkadis ilin Paĉjo.

- Ja vi scias mem, ke ŝi estas tre timema. Kaj la timo havas grandajn okulojn - diris Panjo.

Sed tio ne helpis. Apenaŭ la ursidoj iom ekdormis, tuj ili subite vekiĝis kaj rekomencis tremi. Kaj tiel la tutan nokton. Morgaŭ matene ili estis lacaj kaj dormemaj. Senvorte kaj senforte ili sin trenis tra la hejmo, kaj nenio ilin interesis. Poste venis denove la nokto. Kaj ĉio ripetiĝis. La ursidoj denove ne kuraĝis ekdormi.

En ĉiu eta ombro ili vidis ian spiriton. La gepatroj tutnokte ilin trankviligis kaj konsolis. Tamen la etuloj, kvankam lace-lacaj, eĉ okulon ne fermis.

Panjo ursino nun serioze zorgis. Matene ŝi foriris al la sciurino, por aŭdi, kio vere okazis. Tiu komencis rakonti pri la terura evento. Sed, meze de la rakonto, la ursino komencis ridi, kaj ridegis tiom laŭte, ke ĝis la rando de la arbaro ŝi aŭdeblis.

La sciurino estis malkontenta.

- Ion pli teruran mi tuta-vive ne vidis, kaj jen la ursino ridas! - pensis ŝi - Kio estas ridinda?

- Tio estis miaj ursidoj! - diris la ursino, apenaŭ bridante la ridon.

- Ili malpuriĝis glue per mielo kaj faruno, kaj mi sendis ilin rivereten por laviĝi.

La sciurino finfine trankviliĝis, sed samtempe ŝi malkontentis, ĉar la spiritoj ne estis veraj.

- Mi montris min tiom timema! - pensis ŝi.

- Denove tiu Triopo Terura. Kun ili ĉiam nur problemoj.

상점

숲에서 그 "귀신" 소동이 잠잠해진 뒤로, 또 온 숲이 그 아줌마 다람쥐와 우리의 주인공 삼 남매 이야기로 며칠간 웃을 일이 생긴 뒤, 생활은 다시 여느 때와 다름없었다. 이 말은 새끼 곰들에겐 다시 지루한 시간이 왔다는 말과 같다. 뭔가 특별한 일이 언제라도 벌어지지 않으면, 언제나 지루하다고 그들은 말한다. 그리고 그때 그들은 새로운 놀이를 생각해 낸다.

좀 오래 생각한 뒤, 삼 남매의 머리 역할을 하는 나나가 생각 하나를 말했다. 그들은 "상점" 놀이를 해보자고 했다. 엄마의 양식 창고에서 가능한 모든 것을 (더구나 엄마의 승낙도 받지 않고서. 왜냐하면, 엄마와 아빠는 지금 밖에 나가 계신다) 다 가져오기만 하면 된다고 했다. 창고에는 사과랑 배랑 도토리랑 열매들이 여럿 있다. 그래서 그들은 창고에서 가져온 물건들로 집 앞에 상점을 차렸다. 그리고 그들은 손님이 오기를 기다렸다.

그들은 기다리고 또 기다렸지만, 아무도 오지 않았다. 그때 나나는 이해했다.

"그래 그래...... 우리는 정말 바보야. 우리에게 상점이 있다는 걸 아무도 모르지! 그런데 누가 여길 알고 오겠니? 먼저 우리에게 상점이 있다는 것을 온 숲에 알려야 해!"

"정말 우린 멍청해!" 페로는 같은 의견이다.

"출발!"

그들은 막내 플라에게 상품 가격이 얼마인지 알려 주고는 막내 혼자 상점을 지키도록 했다.

그리고 남매는 길을 나서 온 숲을 외고 다녔다.

"공포의 삼 남매가 새로 상점을 열었습니다! 가장 싸게 팝니다. 가장 신선합니다. 품질은 최고입니다! 다른 곳엔 이런 상품이 없습니다요! 어서요, 어서 오세요. 공포의 삼 남매가 여는 상점으로 오세요!" 그렇게 그들은 수없이 외고 다녔다.

그들이 이웃의 아줌마 올빼미가 사는 나무 옆을 지날 때가 있다. 페로는 자신의 목소리를 낮춰 말하는 것을 잊고, 고래 고래 고함을 질렀다:

"사러 오세요. 와서 가장 좋은 상품을 공포의 삼 남매 상점에서 사 가세요-." 그러자 아줌마 올빼미는 잠을 자다가 갑자기 깼다. 그 바람에 그는 자신이 자던 나뭇가지에서 그만 땅으로 떨어졌다. 다행히 상처는 하나도 없었다. 그 아줌마는 두 눈을 겨우 조금 떤 채, 깜짝 놀라 자신이 지금 어디에 있는지 스스로 물었다. 나나와 페로는 올빼미가 낮에 아무것도 보지 못한다는 걸 알고 있어 재빨리 그 자리를 피해 달아났다. 그때문에 그 아줌마는 그렇게 고래고래 고함친 짐승이 누구인지 몰랐다.

이제 그 남매는 따로따로 온 숲을 뛰어다녔다. 오랫동안 또 그만큼 큰 소리로 말하며 뛰어 다녀, 페로의 목소리는 벌써 쉬어 버렸다. 그러자 그들은 하는 수 없이 집으로 돌아왔다.

그런데 집에 돌아 와 보니, 이미 수많은 짐승이 물건을 사러 와 있었다! 불쌍한 플라는 상점주인 역할을 잘 알지 못했다. 그래서 그녀는 거의 울 지경이었다. 그러다가 언니 오빠를 보자, 그녀는 마음이 다시 가벼워졌다. 곧장 그녀는 상점을 언니 오빠에게 넘겼다.

10분 뒤, 그 상점의 모든 물건은 모두 꿀과 교환되었다. 오, 그곳에는 얼마나 많은 꿀이 있었는가! 그리고 꿀 종류도 다양했다!

삼 남매는 만족하고 또 게걸스럽게 입술을 핥으며 자신의 큰 발을 문질렀다. 그런데 엄마가 돌아왔다. 엄마는 창고가 비어 버린 것을 알고 난 뒤, 그들은 자신의 엉덩이를 문질러야 했다. 엄마는 매를 들어 그들이 **부모 허락 없이 양식 창고에 있는 물건을 절대 팔면 안 된다** 라는 교훈을 충분히 알아차릴 때까지 벌을 주었다.

VENDEJO

Post kiam retrankviliĝis "spiritoj" en la arbaro, kaj post kiam la tuta arbaro kelktage ridis pri la sciurino kaj la ursidoj, la vivo denove fariĝis kiel ĉiam. Tio signifas, ke la ursidoj denove enuis. Ĉar, kiam ajn ne okazas io speciala, ili diras, ke ili enuas. Kaj tiam ili komencas inventi novajn ludojn.

Post longa pensado, Nana, la cerbo de la grupo, donis la ideon. Ili ludos "vendejon". El la manĝodeponejo de Panjo ili prenos ĉion, kio eblas (cetere sen aprobo de Panjo, ĉar ŝi kaj Paĉjo estis ie ekstere). Tie estis pomoj, piroj, glanoj, beroj kaj simile. Ili aranĝis vendejon antaŭ la hejmo, kaj komencis atendi klientojn.

Ili atendis kaj atendis, sed neniu venis. Tiam Nana komprenis.

- Muĝĝĝ... ni estas vere stultaj. Ja neniu eĉ scias, ke ni havas vendejon! Kiel do povus veni iu ajn? Ni devas diskonigi tion tra la arbaro!

- Vere ni malprudentas! - konsentis Felĉjo. - Ek!

Ili klarigis al Flavinjo, kiom kostas la varo, kaj lasis ŝin apud la vendejo.

Kaj ambaŭ foriris, kriante tra la arbaro:

- Nove malfermita vendejo ĉe Triopo Terura! La plej etkosta varo, la plej freŝa kaj kvalita! Nenie plu tia varo! Rapidu, rapidu al Triopo Terura! - kriis ili kiom eble plej multe.

Dum ili pasis apud la arbo de la najbarino strigo, Felĉjo forgesis sin regi, kaj tiom laŭte kriis:

- Aĉetu, aĉetu la plej bonan varon ĉe Triopo Terura - ke la strigo abrupte vekiĝis kaj falis de sur la branĉo al la tero. Bonŝance, sen vundoj. Ŝi nur malfermis iomete la okulojn kaj mire demandis sin, kie ŝi troviĝas. Nana kaj Felĉjo rapide forkuris, sciante, ke strigoj dum la tago vidas preskaŭ nenion. Tial ŝi ne scios, kiu kulpas pri tiu ĉi akcidento.

Ili kuradis dise tra la arbaro. Kaj tiom longe kaj laŭte ili kriis, ke Felĉjo perdis la voĉon. Kiam li plene raŭkiĝis, ili revenis al la hejmo.

Kaj tie jam atendis ilin granda aro da aĉetantoj! Kompatinda Flavinjo ne tro bone konis la rolon de vendisto. Ŝi estis preskaŭ ploranta. Sed kiam ŝi vidis Nanan kaj Felĉjon, ŝia koro senŝarĝiĝis. Tuj ŝi transdonis la vendejon al ili.

Post dek minutoj la tuta varo estis ŝanĝita kontraŭ mielo. Ho, kiom da mielo tie estis! Kaj kiom da specoj!

La triopo kontente kaj frande lekis la lipojn kaj frotis la piedegojn. Sed post kiam Panjo revenis kaj vidis la deponejon malplena, ili frotis la postaĵojn. Por puno, Panjo batis ilin tiom, ke ili tre sukcese lernis jenan lecionon: oni nenion vendu el la hejmo sen aprobo de la gepatroj.

엉망!

작은 숲에서 우리의 곰돌이 삼 남매가 유명해지자, 이런저런 일로 더욱 유명해졌다. 뭐든 엉망으로 만들어 버리는 전문가로 그들은 알려졌다. 이제, 그렇다. 그들은 집 안을 정리하기에는 챔피언이 될 수 없다. 하지만 만일 엉망으로 만들기라는 종목이 있다면, 오, 그 분야에선 그들은 당연히 챔피언이다!

흐리고 비가 오는 어느 날 아침, 부모는 먹거리를 구하러 나갔고, 귀여운 곰돌이 녀석들만 집에 홀로 남아있었다.

"우린 밖에 나가면 안 되고, 또 낯선 이를 집 안으로 들여놓지도 않을 거예요. 우리는 집 안을 엉망진창으로도 만들지도 않겠어요." 그들은 부모에게 엄숙하게 약속했다. '아, 그 약속이 얼마나 많은 일을 대단하게 엉망진창으로 만들어 놓았는가!'

그러나, "대단한 엉망진창"이란 무슨 말인가? 그럼, 작은 흐트러뜨림은 그들이 해도 된다는 말인가? 더구나 엄마에겐 대단한 일이라 해도 그들에게 작은, 아주 작은 엉망진창일 뿐이다. 아하, 누가 이 상황을 이해할 수 있단 말인가?

그렇게 해서, 나나와 페로, 플라는 집에 따로 남게 되었다.

밖에는 비가 계속, 계속해서 내렸다. 날씨는 정말 우울하게 만들었다. 따라서 새끼 곰들도 우울했다. 그들은 뭘 해야 할지 전혀 모른 채 구석에 앉아 있었다.

다행히도, 여느 때처럼, 나나가 먼저 생각을 하나 했다. 나나는 숲의 나뭇잎만큼 무수히 새 놀이 꺼리를 만들어내는 곰 임을 어린이 여러분은 알아 둬야 한다. 그녀는 이렇게 결론을 내렸다.

"난 이제 알아냈어! 우리가 '**정글 탐험대**' 놀이를 한 번 해보자! 우리는 아주 무서운 짐승도 만나고 뱀도 만나게 된다. 우리는 모든 위험과도 맞서게 될 거야. 탐험대 대장은 내가 맡는다. 페로, 너는 필요에 따라 표범이 되기도 하고, 원숭이나 코끼리가 되기만 해 주면 돼. 플라는 원시인들의 부족이 되는 거야. 그런데 정글은 우리가 직접 만들어야 하지."

페로는 흥미진진해서 입을 헤- 벌렸고, 플라는 행복해 온 집 안을 펄쩍펄쩍 뛰어다녔다. 그만큼 그들은 그 놀이에 기대를 걸었고, 그새 그들은 완전히 엄마와의 약속을 잊어버렸다.

그들은 자신들의 집 앞에 있는 고사리 잎을 따서, 그것을 한가득 들고 들어왔다. 풀도 잎사귀도 따온 그들은 고사리 잎사귀들 위로 던져 놓았다. 마찬가지로 그들은 고슴도치 한 마리도 데리고 왔다.- 놀이에서 고슴도치의 역할은 귀신이 될 것이다. 독이 없는 작은 물뱀 한 마리도 데려왔다. 물뱀은 놀이에서 오 미터 길이의 공포의 보아 뱀 역할을 할 것이다. 고슴도치와 물뱀은 자신의 그런 역할에 전혀 만족하지 못해도 그 점을 그들에게 안 한다고 하지는 않았다.

그때, 탐험대원 나나는 칡넝쿨로 뒤덮인 길을 정리

해 가면서 길을 내고 있었다. 그들은 표범과도 싸웠다. 이때 표범 역할은 페로가 했다. 또 코끼리 -이번에도 페로가 그 역할을 맡음- 와도 싸웠다. 동시에 그들은 원시 부족민들의 독화살들을- 플라가 그들에게 바늘같은 소나무 잎들을 던졌다-피해 다녔다. 탐험대의 아주 험난한 일정이었다.

보아 뱀은 거의 한입에 탐험대원 전부를 집어삼킬 태세였다. (사실, 나나가 그 뱀을 뒤따르자, 그 뱀은 숨기 바빴다.)용감한 탐험대원들은 그래도 항복하지 않고, 보아 뱀을 여러 조각으로 잘라 버렸다.(불쌍하게도 그 물뱀은 겨우 목숨을 구했다. 나나는 나뭇가지를 들어 물뱀의 옆을 때리면서 주의를 하지 않아, 한번은 정말 그 물뱀을 때렸다. 그 바람에 물뱀의 두 눈에선 정말 별이 수백 개 보였다!)

정작 문제는 귀신 놀이를 함께 할 때 일어났다. 탐험대원의 손발을 전부 물어버리기에는 귀신의 수효가 아-주, 아주 부족했다. (나나가 고슴도치를 다른 곳으로 옮기려다 고슴도치의 가시에 찔리기도 했다.) 그러나 전혀 예기치 않게 야만의 부족민이 나타나 그 탐험대를 도와주었다. 온 힘을 합쳐 그들은 귀신을 물리칠 수 있었다. 그들은 귀신을 피해 목숨을 구할 수 있었다. (플라는 나나를 도와, 고슴도치를 다른 곳으로 옮겨 놓았다.)

이젠 집 안에서 탐험대원과 코끼리, 원시 부족민이 서로 뒹굴며 놀았다. 귀신과 보아 뱀은 그런 그들을 깜짝 놀란 채 바라보았다. 드디어 그 놀이가 최고로

즐거운 순간인, 바로 그때 엄마 아빠가 돌아오셨다. 물론, 부모는 언제나 그런 순간에 나타나신다!

아빠는 집 안에 어지럽게 놓여 있는 수많은 고사리 잎사귀들과 풀과 나뭇잎들을 보고는 깜짝 놀랐다. 바로 그때 엄마가 화를 벌컥 내며 포효했다:

"저 뱀과 고슴도치는 왜 집으로 데려왔어! 어서 저것들을 치워!"

"도대체 너희들 머리에는 뭐가 들어있니! 잠시도 너희를 혼자 내버려 둘 수 없으니!" 엄마는 더욱 책망했다.

공포의 삼 남매는 고개를 숙인 채 잠자코 듣고만 있었다.

그들은 엉망진창으로 된 집 안을 모두 정리해야 했고, 열흘 동안 매일매일 집 안을 청소하는 벌을 받아야만 했다.

KIA MALORDO!

Niaj ursidoj estis konataj en Eta Arbaro kaj plue pro multaj aferoj. Ankaŭ kiel la plej bonaj fakuloj pri ĉiuspeca malordo. Nu, jes, en ordigo de la hejmo ili ne estus ĉampionoj. Sed se necesus fari malordon, ho, tie ili estis senkomparaj!

Iun grizan kaj pluvan matenon la gepatroj eliris por serĉi manĝaĵon, kaj la etuloj restis solaj en la hejmo.

- Ni nek eliros, nek lasos fremdulojn en la hejmon, kaj certe ni ne faros grandan malordon - promesis ili solene al siaj gepatroj. Ho, kiom da aferoj ili ne rajtis!

Sed kion signifas "granda malordo"? Ĉu tio signifas, ke la malgrandan oni rajtas fari? Kaj cetere, kio por Panjo estas granda malordo, tio por ili estas eta, tre eta malordo. Ja kiu povus kompreni tiujn aferojn!

Tiel do Nana, Felĉjo kaj Flavinjo restis solaj. Ekstere pluvadis kaj pluvadis, kaj la vetero estis vere malgajiga. Sekve ankaŭ la ursidoj malgajis. Ili sidis en angulo, tute ne sciante, kion fari.

Feliĉe, kiel ĉiam, Nana trovis la ideon. Oni

devas rekoni, ke ŝi estas plena de novaj ludoj kiel arbaro de folioj. Ŝi konstatis:

- Mi scias! Ni ludos "Esplorantojn de la Ĝangalo"! Ni renkontiĝos kun teruraj bestegoj kaj serpentoj, kaj ni travivos ĉiajn danĝerojn. Mi estos grupo de esplorantoj, Felĉjo estos pantero, simio kaj elefanto laŭ bezono, kaj Flavinjo estos tribo de indiĝenoj. Nur ĝangalon oni devas konstrui.

Felĉjo pro entuziasmo vaste malfermis la buŝon, kaj Flavinjo pro feliĉo saltadis tra la hejmo. Tiom ili ĝojis pri la ludo, ke ili tute forgesis pri la promeso al Panjo.

Ili forplukis foliojn de filiko antaŭ la hejmo, kaj amason da tio ili enportis. Ankaŭ herbojn kaj foliojn ili trovis, kaj tion ĵetis sur la filikon. Same ili alportis unu erinacon - ĝi rolos kiel monstro. Eĉ etan kaj sendanĝeran serpenton kolubron ili kunprenis. Ĝi estos terura boao, kvin metrojn longa. La erinaco kaj la serpento estis neniom kontentaj pri siaj roloj, sed ilin neniu pridemandis.

Tiam la esplorantoj (Nana) komencis trabati la vojon tra aro da lianoj. Ili batalis kontraŭ panteroj kaj elefantoj (Felĉjo), kaj samtempe evitadis venenajn sagojn de indiĝenoj. (Flavinjo ĵetis al ili pinglojn de pino.) Vere malfacila laboro por la esplorantoj.

La boao preskaŭ forglutis la tutan grupon en unu sola buŝpleno. (Fakte, Nana postkuris la serpenton, kaj tiu klopodis kaŝi sin.) La kuraĝaj esplorantoj tamen ne kapitulacis, sed distranĉis la boaon en pecojn. (Povra kolubro, ĝi apenaŭ savis la vivon. Nana batis per iu branĉo apude, sed ŝi ne atentis, kaj unu fojon ŝi vere trafis ĝin. La kolubro verŝajne vidis ĉiujn steletojn en la okuloj!)

Problemoj okazis ankaŭ kun la monstro. Tre malmulte mankis, ke ĝi formordu la tutan manon de iu esploranto. (Nana estis iomete pikita fare de la erinaco, kiam ŝi volis meti ĝin aliloken.) Sed tute neatendite, la sovaĝa tribo helpis la esplorantojn. Per kunaj fortoj ili venkis la monstron, kiu trovis sian savon en eskapo. (Flavinjo helpis al Nana porti la erinacon.)

Finfine la esplorantoj, elefantoj kaj indiĝenoj ruliĝis unu trans la aliaj, dum la monstro kaj la boao rigardis ilin konsterne. Kaj ĝuste tiam, kiam la ludo atingis la kulminon, aperis la gepatroj. Kompreneble, ili ĉiam aperas en tiaj momentoj! Paĉjo nur nekredeme rigardis la amason da filikoj, herboj kaj folioj. Kaj Panjo kolere muĝis:

- Kion faras tiuj serpento kaj erinaco en nia hejmo! Tuj forigu ilin!

- Kaj kio nur venas en viajn kapojn! Eĉ minuton oni ne povas lasi vin solaj! - riproĉis ŝi plue.

La triopo nur silentis kun mallevitaj kapoj.

La malordon ili devis forigi, kaj pro puno ankoraŭ dek tagojn ili ĉiutage devis ordigi la hejmon.

플라가 없어졌다

지난 번 그 일이 있고 나서, 삼 남매는 일주일 동안은 충분히 조용히 지냈고, 그때서야 모든 것은 다시 시작되었다. 그 말은, 간단히 다시 말하면, 그들은 평화롭게 가만히 지낼 수 없었다. 우리 주인공 귀염둥이들은 이번엔 술래잡기 놀이를 하였다. 먼저 플라가 술래가 되어 눈을 감으면, 그동안 나나와 페로가 어디에 숨어야 한다. 나나는 숨기에 적당한 장소를 찾는 일엔 정말 선수였다. 그러니 술래인 플라는 15분 동안 언니를 찾아 다녔다. 하지만 그녀는 오빠를 쉽사리 찾았다.

그리고 이젠 페로가 술래가 되어 다른 이들을 찾아야 했다. 이번엔 나나와 플라가 어딘 가에 숨었다. 문제는 플라가 자신의 숨을 곳을 스스로 찾지 못한 것이었다. 간단히 그녀는 언니 나나가 있는 곳으로 간다. 그 때문에 나나는 작은 소리로 말했다.

"다른 곳으로 가란 말이야. 이러면 페로가 우릴 더 쉽게 찾아내거든."

그러나 플라는 큰소리로 외쳤다. "아니, 절대 안 갈꺼야! 나도 바로 여기 숨고 싶어!"

그렇게 그 둘이 옥신각신하고 있을 때, 페로는 그들이 떠드는 소리를 듣고는 그 둘을 아주 쉽게 찾았다.

그 때문에 나나는 플라에게 화를 크게 냈다. 나나는 여동생을 매정하게 대하며 말했다:

"이 세상에서 넌 정말 지겨워! 내 뒤만 졸졸 따라다

니니, 마치 내 뒤에 매달려 있는 것 같아. 이제 따라다니는 걸 그만두지 않으면, 더는 너와는 안 놀아!"

"그럼, 그때엔 나도 같이 놀지 않으면 되지!" 플라도 그렇게 말했다.

5분간 그들은 서로 티격태격하더니, 나중에 앞으로는 각자 자기 숨을 곳을 찾기로 하자고 동의한 뒤에야 화해했다. 이제 나나가 술래가 되었다. 이번엔 페로와 플라가 숨어야 했다. 나나는 남동생을 쉽게 찾았지만, 여동생은 찾아내지 못했다.

몇 분이 지나고 또 지났다. 나나는 점점 걱정되었다. 정말 플라가 그렇게 숨을 수 있는 동생이 아니었다. 나나는 남동생에게 막내를 같이 찾아보자고 했다. 그러나 그것도 도움이 되지 않았다. 그들은 자신들이 알고 있는 장소는 여기저기 찾아가 보았지만, 헛수고였다.

이제 그 둘은 걱정이 크게 되었다. 그들은 근처에서 일하고 있던 아빠에게 얼른 달려갔다.

"저희는 플라를 못 찾겠어요! 술래잡기 놀이를 하고 있었는데, 막내가 어디론가 숨어 버렸어요. 하지만 어디에 숨어 있는지 찾을 수가 없어요!" 페로는 걱정스럽게 사실을 말했다.

"저희는 이미 오랫동안 찾아봤어요. 저희가 찾을 수 있는 곳은 모두 찾아다녀 봤어요." 나나가 덧붙여 말했다.

그러자 아빠와 남매는 온 힘을 다해 큰 소리로 외쳤다.

"플라, 플라--오-오! 술래잡기 놀이 끝났어! 너가

이겼어! 나와라! 플라! 어디 있니? 플-라-!!!"

그것도 아무 소용이 없자, 그들은 집으로 갔다. 그들은 바깥일을 마치고 집에 먼저 와 있던 엄마에게 플라가 어디 있는지 모른다고 말씀드렸다. 아빠는 아주 진지하게 말했다.

"정말 우리는 반 시간 거리의 원 안을 다 찾아봤어요."

이제 온 가족 모두 집 근처의 구석구석을 찾아보았지만, 헛일이었다. 엄마와 아빠는 이젠 더욱 큰 걱정이 생겼다. 그들은 벌써 막내가 다쳤을지도 모른다거나, 위험에 빠져 있을지도 모른다거나 하며 온갖 상상을 했다……더구나 그들은 이제 상상할 용기도 나지 않았다.

그들은 근처에 사는 모든 곰에게 도움을 청했다. 열 마리의 곰이 작은 숲 전체를 찾아 나섰지만, 플라를 찾지 못했다. 나중에 그들 모두는 다른 대책을 의논하러 우리 주인공 곰 가족의 집에 모였다. 조심스럽게 그들은 땅바닥에 앉아 있었다. 아무도 뭘 해야 할지 몰랐다. 모두는 가장 나쁜 결말을 상상하며 걱정하고 있었다.

바로 그때, 아빠는 그 집 안의 어느 구석에서 이상한 일이 일어나는 걸 보게 되었다. 큰 나뭇잎 더미가 규칙적으로 들렸다 내렸다 하는 것이었다. 먼저 엄마가 서둘러 그 나뭇잎 더미로 가, 나뭇잎들을 들어 내보았다. 놀-랍-게-도 그 안에는 자신을 찾기 위해 곰 가족들 전체가 나선 줄도 모른 채, 플라가 아주 태평스럽게 자고 있었다.

FLAVINJO MALAPERIS

Post la lasta okazaĵo, la triopo restis sufiĉe trankvila unu semajnon, kaj tiam ĉio rekomenciĝis. Ili simple ne povis resti en paco. La etuloj decidis ludi kaŝludon. Unue Flavinjo fermis la okulojn, dum Nana kaj Felĉjo estis sin kaŝantaj. Nana estas vera majstro por trovi bonajn lokojn. Tial Flavinjo serĉis ŝin dek kvin minutojn. Kaj Felĉjon ŝi trovis tuj.

Poste Felĉjo serĉis, kaj Nana kaj Flavinjo kaŝiĝis. Sed problemo estas, ke Flavinjo ne mem serĉas kaŝlokon. Simple ŝi iras tien, kie estas Nana. Tial Nana flustris:

- Iru al alia loko. Ĉi tiel li trovos nin pli facile.

Sed Flavinjo kriis plenvoĉe: - Ne, tute ne! Ankaŭ mi volis min kaŝi ĝuste tie!

Dum ili tiel traktadis, Felĉjo ilin aŭdis kaj tre facile trovis.

Nana pro tio estis tre kolera al Flavinjo. Ŝi diris al tiu furioze:

- Vi estas tedulo unika en la mondo! Vi nur kuras post mi kvazaŭ de mi pendanta. Se vi ne tuj ĉesos, mi ne ludos plu!

- Kaj tiam ankaŭ mi ne ludos! - spite

respondis Flavinjo.

Kvin minutojn ili koleris unu kontraŭ la alia, kaj poste ili repaciĝis, kun konsento, ke estonte ĉiu serĉos sian propran kaŝlokon. Nun Nana estis serĉanta, kaj Felĉjo kaj Flavinjo kaŝitaj. Nana trovis la fraton facile, sed la fratinon trovi ŝi ne sukcesis.

Minutoj pasadis kaj pasadis. Nana jam komencis zorgi. Ja Flavinjo tute ne kondutas tiel. Ŝi petis la fraton, ke li helpu trovi la fratinon. Sed ankaŭ tio ne helpis. Ili traserĉis ĉiujn konatajn lokojn, sed vane.

Jam la duopo tre ektimis. Ili kuregis al Paĉjo, kiu troviĝis proksime.

- Ni tute ne povas trovi Flavinjon! Ni ludis kaŝludon kaj ŝi estas ie kaŝita. Sed ni ne scias kie! - zorge raportis Felĉjo.

- Jam longe ni serĉas, kaj ĉie ni jam rigardis. - aldonis Nana.

Tiam ĉiuj tri laŭte kriis:

- Flavinjo, Flavinjooo! La ludo finiĝis! Vi venkis! Eliru! Flavinjo! Ja kie vi estas? FLAVINJOOO!!!

Vidinte, ke ankaŭ tio ne helpas, ili foriris hejmen kaj diris al Panjo, ke ili ne scias, kie estas Flavinjo. Paĉjo diris tre serioze:

- Vere ni traserĉis ĉion ene de cirklo de duona horo.

Nun ĉiuj kvar kontrolis ĉiun anguleton proksime de la hejmo, sed vane. Panjo kaj Paĉjo jam tre zorgis. Ili jam imagis ŝin vundita, en danĝero... plu ili ne kuraĝis imagi.

Ili alvokis por helpo ĉiujn ursojn, kiuj loĝas en la proksimo. Deko da ursoj traserĉis tutan Etan Arbaron, sed Flavinjon ili ne trovis. Poste ĉiuj kune foriris en la hejmon de nia ursa familio por interkonsenti pri pluaj agoj. Zorgante ili sidigis sin sur la plankon. Neniu sciis, kion fari. Ĉiuj timis la plej malbonan finon.

Ĝuste tiam Paĉjo rimarkis, ke en iu loko okazas stranga afero: iu granda stako da folioj ritme leviĝas kaj malleviĝas. Panjo rapidis al tiuj folioj, forpuŝis ilin kaj trovis Flavinjon dormanta tre trankvile, ne sciante kioman zorgon ŝi kaŭzis al ĉiuj.

“공포의 삼 남매”의 위대한 연주회

우리 삼 남매는 오랫동안 잠잠하더니, 악단 “공포의 삼 남매”를 되살리기로 결정했다.

“엄마, 저희가 다시 음악도 쬐금, 노래도 쬐금, 해 보려고 해요. 되지요?” 그들은 엄마의 의견을 여쭈었다.

“저희는 되도록 소리를 작게, 조용조용 연습할게요.” 그들은 엄마를 설득했다.

엄마는 그런 말을 많이 믿지 않지만 어떻게 허락 안 할 수 있으랴? 엄마는 한숨을 한 번 내쉬고는 대답했다:

“그렇게 하렴. 하지만 만일 이웃에서 도저히 못 참겠다 하는 소리가 들리면, 그땐 너희는 그만해야 한다.”

그 뒤 다시 연습이 시작되었다.

플라는 다시 가수가 되었다. 말인즉, 그녀가 겨울잠 자는 곰조차 깨울 정도로 고래고래 고함을 질러 보지만 노래는 형편없었다. 한편 그녀가 춤도 시도했으나, 그때, 그 모습은 마치 술 취한 사람이 비틀거리는 모습처럼 보였다. 페로는 북을 쳤다. 그는 돌을 이용해 어느 나무의 그루터기를 여러 차례 때렸다. 그러나 그 소리엔 **하모니**라는 음악성이란 전혀 없다. 시끄러움이라고 하는 편이 나을 정도였다. 나나는 피리를 불었다. (속이 빈 나뭇가지를 이용해 불었다). 그녀는 두께가 서로 다른 나뭇가지 셋을 들고 3가지 소리를 냈다. 가장 큰 나뭇가지를 이용해서는 저음을, 가장 작은 나뭇가지로는 고음을 냈다.

그들이 하는 그 그룹 활동의 소음이 얼마나 컸는지, 또 듣기는 얼마나 힘들었는지, 그들의 부모나 이웃은 억지로 참고 겨우 듣고 있을 정도였다. 그래서 숲속 모두는 그들이 좋아하는 음악하려는 마음이 지난번처럼 그렇게 어서 지나갔으면 하고 바랬다.

"또 저들이 하는 다음 놀이는 제발 소리가 없이도 즐길 수 있는 것이었으면!" 그들은 그런 생각을 하며, 어쩔 수 없이 참고 있었다.

그러나 우리 주인공 삼 남매는 자신의 그룹이 쉽사리 찾기 힘든 훌륭한 음악대라고 자신에 찬 채 믿고 있었다. 그 때문에 그들은 자신이 가진 위대한 재능을 작은 숲에 있는 다른 모든 짐승에게 보여주기로 했다. (그런데 그 짐승들은 벌써 이 삼 남매의 연주를 들어보지 않았던가?)

새끼 곰들은 기억에 꼭 남을 공연을 하기를 결정했다. 숲에서 그들은 나무가 별로 없는 아름다운 공터를 한 곳 발견했다. 그곳이 공연장이 될 것이다. 그리고 그들은 삼일 꼬박 피곤함도 잊고 연습에 연습을 더해갔다. (작은 숲의 모든 짐승은 공포로, 또 옆집 아줌마 올빼미는 극도의 공포 속에서) 마침내 그들은 자신의 준비가 끝났다고 판단했다. 하루종일 그들은 온 숲을 휘젓고 다니면서 내일 열리는 공연에 꼭 참석해 달라고 초청했다.

"공포의 삼 남매가 여는 위대한 공연을 보러 오세요!"

"공연은 내일 열립니다. 장소는 이 숲 가운데, 나무 없는 공터입니다. 해가 질 무렵에 시작합니다!"

"오세요! 오시기만 하면 됩니다." 우리 삼 남매는 온 숲을 다니며 외치고 있었다.

적어도 두 번씩 초청받지 않은 숲속의 짐승들은 없었다. 이웃 짐승들은 세 번 또는 네 번 초청을 받았다. 그리고 부모에겐 5분마다 찾아가 초청했다. 부모는 이 지루한 삼 남매의 행동에 어떤 반응을 보여야 할지 더는 몰랐다.

곰돌이들은 그날 밤 흥분이 되어 잠을 제대로 이룰 수 없었다. 다음 날 아침이 되자, 그들은 아침 식사를 한 입도 할 수 없었다. 그들은 공연 생각뿐이었다.

마침내 위대한 순간이 왔다. 걱정과 흥분으로 삼 남매는 그 나무 없는 공터의 가운데에 섰다. 그러나 관람객은 아무도 보이지 않았다. 엄마 아빠도 보이지 않았다. 이 무슨 황당한 상황인가! 플라는 마치 닭똥 같은 눈물을 흘리기 시작했고, 나나와 페로도 마치 우연인 것을 가장하고는 눈물 몇 방울을 흘렸다.

그들이 아무도 오지 않는구나 하고 판단을 하려는 바로 그때, 그들은 저쪽에서 천천히 오고 계시는 엄마 아빠를 발견하였다. 사실, 엄마가 아빠를 겨우 설득해 오시게 했다. 그리고 그것도 플라가 아주 큰 소리로 우는 소리를 듣고서. 그들 뒤로 아줌마 다람쥐가 자신의 가족과 함께 왔다. 지난번 같은 귀신 소동을 아주 무서워한 바로 그 아줌마 다람쥐였다. 무슨 일이 일어났든지 간에, 그 아줌마는 우리 삼 남매를 사랑했으니 여기에 오지 않을 수 없었다. 미뇨 라는 아줌마 여우도 자신의 자식들을 데리고 왔다. 그 뒤를 우리 곰 가족의 여러 다른 친구들이 왔다. 또 다른 많은 짐승이 왔다. 이제 삼 남매는 아주 행복했다. 가장 아쉬운 게 있다면, 그곳에 모인 모두의 귀에 도토리 라는 귀마개를 한 개씩 넣고 온 점이었다.

"좋아요!" 그들은 결론을 내렸다. "그래도 좋아요! 아무도 오지 않은 것에 비하면야!"

그렇게 공포의 삼 남매가 연 위대한 공연은 무사히 지나갔다. 이 숲에서는 더 나쁜 소음도 이전에는 없었고, 앞으로도 들을 수 없을 것이다. 어쨌든, 그것은 기억에 남을 공연이었다.

LA GRANDA KONCERTO DE "TRIOPO TERURA"

Post longa paŭzo, nia triopo decidis denove aktivigi la grupon "Triopo Terura".

- Panjo, ni ŝatus denove iom muziki kaj kanti. Ĉu ni rajtas? - demandis ili Panjon.

- Ni ekzercos kiom eble malplej laŭte - konvinkadis ŝin ili.

Panjo tion ne multe kredis, sed kiel malpermesi? Pro tio ŝi nur suspiris unu fojon kaj respondis:

- En ordo. Sed se la najbaroj plendos, vi devos ĉesi.

Post tio rekomenciĝis la ekzercoj.

Flavinjo denove estis kantanto. Tio signifas, ke ŝi muĝegis tiom aĉe kaj laŭte, ke ŝi povis veki eĉ urson el vintra dormo. Dume ŝi provis ankaŭ danci, sed tiam ŝi aspektis kvazaŭ ebriulo stumblanta. Felĉjo estis tamburisto. Li batis per ŝtono iun stumpon. Sed tion li faris sen ajna harmonio, kaj lia bruego estis simple nekredebla. Nana ludis fluton (t.e. blovis tra malplena branĉo). Ŝi havis tri branĉojn malsame dikajn, kaj tial ĉiu produktis alian tonon. La plej dika branĉo faris malaltajn tonojn, kaj tiu maldika la plej altajn.

Fariĝis bruo tiom granda kaj surdiga, ke la gepatroj kaj najbaroj tion apenaŭ eltenis. Ĉiuj esperis, ke tiu emo al muziko rapide pasos, same kiel jam okazis pasintan fojon.

- Kaj ilia sekva petolaĵo estos esperebla senbrua! - pensis ili sinkonsole.

Sed nia triopo kredis sin bonegaj muzikantoj, kiaj ne troveblas facile. Pro tio ili decidis montri sian grandan talenton al ĉiuj aliaj loĝantoj de Eta Arbaro. (Sed ĉu tiuj jam ne aŭdis ilin?)

La ursidoj decidis fari neforgeseblan koncerton. En la arbaro ili trovis belan senarbejon. Tie estos la koncerto. Post tio ili dum tri plenaj tagoj senlace ekzercadis (je teruro de ĉiuj anoj de Eta Arbaro, kaj pleje de la najbarino strigo). Fine ili konkludis, ke ili estas pretaj. La tutan tagon ili iradis tra la arbaro kaj invitadis al la morgaŭa koncerto.

- Venu al la granda koncerto de Triopo Terura!

- Ĝi okazos morgaŭ, en eta senarbejo meze de la arbaro, precize dum suna subiro!

- Venu, nur venu - ripetadis nia triopo ĉie en la arbaro.

Ne ekzistis loĝanto de Eta Arbaro, kiu ne

estis invitita almenaŭ dufoje. La najbaroj estis invititaj tri aŭ kvar fojojn. Kaj la gepatrojn ili invitadis ĉiujn kvin minutojn. La gepatroj ne plu sciis, kiel reagi al tiu teda triopo.

La ursidoj ne povis tiun nokton dormi pro ekscito. Kaj matene ili ne povis manĝi eĉ unu buŝplenon. Nur pri la koncerto ili pensis.

Finfine venis la granda momento. La triopo plena de timo kaj ĝoja ekscito staris meze de la senarbejo. Sed neniu spektanto aperis. Eĉ ne Panjo kaj Paĉjo. Kia katastrofo! Flavinjo komencis plori kiel pluva jaro, kaj ankaŭ Nana kaj Felĉjo ellasis kelkajn larmojn, kvazaŭ hazarde. Kaj kiam ili jam kredis, ke nenio sukcesis, tiam ili rimarkis la gepatrojn malrapide venantajn. Panjo tamen sukcesis persvadi Paĉjon, kaj ankaŭ tio helpis, ke li aŭdis Flavinjon plore hurlantan.

Post ili alvenis sciurino kun sia familio. Estis tio ĝuste la sama sciurino, kiu timegis la spiritojn. Kio ajn estis okazinta, ŝi tamen amis nian triopon, kaj ŝi ne povis ne veni. Ankaŭ venis vulpino Minjo kun siaj idoj. Ŝin sekvis pluraj amikoj de la ursa familio, kaj ankoraŭ multaj aliaj bestoj. La triopo estis feliĉega. Nur iomete ili malkontentis, vidinte, ke ĉiuj metis glanojn en la orelojn.

- Bone - konkludis ili. - Prefere eĉ tiel, ol neniel.

Tiel pasis la granda koncerto de Triopo Terura. Pli aĉan bruon oni neniam antaŭe kaj neniam poste aŭdis en Eta Arbaro. Ĉiukaze, tio estis koncerto, kiu restos en memoro.

나무 위의 작은 집

공연이 끝났다. 그리고 바로 그 끝나는 순간 우리 주인공 새끼 곰들의 음악에 대한 흥미도 끝났다. (작은 숲에 사는 모든 짐승의 무거웠던 마음도 가벼워졌다. 특히 엄마, 아빠 또 이웃 아줌마 올빼미도.) 이제 그들에게 급하게 필요한 것은 새로운 놀이인데, 무슨 놀이를 한담?

이번에는 -대단한 변화다!- 페로가 맨 먼저 놀이를 찾아냈다. 그는 다람쥐가 자신이 사는 나무에 난 구멍을 들락날락하는 모습을 지켜보았다. 그는 이렇게 외쳤다.

“난 알았어. 이번엔 우리도 나무 위에 집을 지어 보자!”

“곰은 그런 집 짓지 않거든. 그래도 그건 흥미 있겠구나.” 나나는 대답했다.

“내 마음에도 쏙 들어.” 플라가 기뻐했다.

먼저 그들은 자신들이 오르기에 적당한 나무를 찾아 나섰다. 너무 키가 크지 않은 나무라야 했다. 그러나 그들이 어려, 나무 오르내리는 것엔 아직 능숙하지 못했다. 특히 플라에겐. 그래도 그 집은 충분하게 넓으면서 튼튼해야 한다. 삼 남매의 몸무게 정도는 지탱할 수 있는 나무에 집을 지어야 한다. 그런 나무를 찾기란 쉽지 않았다. 오랫동안 찾아 나선 결과 그들은 그래도 적당한 나무 한 그루를 발견했다. 그것도 그들

집에서 그리 멀지 않은 곳이다. 만일 엄마가 그들을 부르시면, 그들은 엄마 목소리도 들을 수 있을 거리였다. 이구동성으로 그들은 자신들에게 꼭 맞는 장소라고 동의하였다.

이제 필요한 것은 곰의 집을 짓는 일이다. 그들이 지목한 나무에는 포크 모양을 한 튼실한 가지가 있었다. 새끼 곰들은 그 나뭇가지 위로 숲 어디에서도 찾을 수 있는 다소 큰 나뭇가지들을 끌어올려 놓았다. 그렇게 한 뒤, 그 위로 그들은 고사리 나무와 잎사귀들을 많이 쌓았다. 이로써 그들은 둥지와 비슷한 모습을 갖추게 되었다. 그들은 자신들이 공들여 만든 작업에 아주 만족했다. 그 둥지가 곰돌이 셋의 무게를 견디어 낼 수 있을지는 아직 확실치 않아도.

"우리가 저 안에서 너무 흔들지만 않으면, 저 둥지는 우리 몸무게는 지탱해 낼 걸." 그들은 생각했다.

곰이 사는 집에 먹거리도 있어야 하므로, 그들은 곧장 이를 찾으러 나갔다. 그들이 가져온 것은 배, 사과, 나무딸기, 여러 가지 맛난 열매와, 약간의 꿀이다. 그들은 이번에는, 지난번의 여러 경험을 통해, 아빠에게 먼저 그와 같은 것을 좀 가져가도 되는 허락을 받았다.

그 먹거리를 그 나무위의 집으로 가져갔다. 그러나 어린이 여러분이 그게 "비스킷"이구나 하고 말하기도 전에, 그들은 이 가져온 먹거리를 모두 먹어치워 버렸다. 그리고는 집 짓느라 힘들게 일한 뒤라, 아주 지쳐 모두 잠들어 버렸다. 그들은 점심도 그른 채 잠을 계속 잤다. 점심을 거른 채 지낸다는 것은 그들에겐 있을 수 없는 일이다. 엄마는 처음에는 좀 걱정이 되었다. 그러나 집안의 양식 창고가 비어 있는 것을 보고는, 새끼들이 필시 배고픈 채 있지는 않겠구나, 어디서든지 이런저런 놀이를 즐기며 지내고 있겠지 라고 판단했다.

그 잠든 곰들을 깨운 것은 배 속에서의 꼬르륵 -하는 소리였다. 좀 전에 먹었던 열매로는 오랫동안 배부르지 않다. 그러나 그 삼 남매는 그 "집"을 너무 서둘러 빠져나오고 싶지 않았다, 왜냐하면 그들이 만드는데 그렇게 애를 많이 썼으니. 그럼 어찌한담?

페로와 플라는 그 둥지 안에서 굴러 보기 시작했다. 나나는 재빨리 외쳤다.

"에이, 그건 너무 위험해! 그러면 우리 모두 떨어질 수도 있어!" 그러나 그런 경고는 너무 늦었다.

그들이 만든 둥지의 일부가 뭉개지고, 페로가 그 뭉개진 틈으로 미끄러져 떨어졌다. 퍽-하는 소리가 들렸다. 그들은 나무 아래 떨어져 멍하게 앉아 있는 페로의 모습을 보았다. 플라는 아래에 떨어진 오빠를 내려다보고 아주 세게 웃다 그만, 둥지의 가장자리 뒤로 몸이 넘어갔다. 여전히 또 한 번의 꽈-당- 하는 소리와 함께 플라가 저 아래로 떨어졌다. 페로처럼 고초를 당한 그녀도 자신의 엉덩이를 만지고 있었다.

"와-아, 진짜로 아프네!" 그녀는 아파했다.

나나는 크게 웃고 또 웃는 바람에 눈에서 눈물이 나올 지경이었다. 그리고 그 때문에 나나도 그만 둥지에서 미끄러져 떨어졌다. 그러나, 나나는 천천히 미끄러져 땅바닥에 사뿐히 닿는데 성공했다.

엄마는 씩-씩-거-리-면-서-도 웃-으-면-서 집으로 돌아오는 자녀들의 모습을 보았다. 곧장 엄마는 그들이 또 다시 뭔가 멍청한 행동을 저질렀구나 하고 알아차렸다. '오, 저런, 우리 삼 남매가 오늘은 또 무슨 일을 벌였을까?' 하고 생각을 하고 했다.

DOMETO SUR ARBO

Finiĝis la koncerto, kaj en la sama momento finiĝis ankaŭ la intereso de la ursidoj pri la muziko. (Je granda senpeziĝo de ĉiuj anoj de Eta Arbaro, kaj speciale de Panjo, Paĉjo kaj la najbarino strigo.) Urĝe bezonata estis nova ludo, sed kiu?

Ĉi-foje - granda ŝanĝo! - Felĉjo la unua trovis la ludon. Li observis sciuron en ĝia arbotruo, elirantan kaj enirantan. Li ekkriis:

- Mi scias, ni faros domon sur arbo!

- Ursoj certe ne faras tiajn domojn - respondis Nana - sed tio povus esti interesa.

- Al mi tio vere plaĉas - ĝojis Flavinjo.

Unue ili serĉis taŭgan arbon. Ĝi devas esti ne tro alta. Ili ja tamen estas malgrandaj ursoj, kaj ne ankoraŭ lertaj en grimpado, speciale Flavinjo. Aliflanke, ĝi devas esti sufiĉe larĝa kaj forta, por povi elteni la triopon sur si. Tian arbon trovi ne estas facile. Post longa serĉado ili tamen trovis unu. Kaj eĉ proksime de ilia hejmo. Se Panjo vokos ilin, ili povos ŝin aŭdi. Unuanime ili konsentis, ke ĝuste tian lokon ili bezonas.

Nun necesis konstrui ursan domon. Sur la

arbo estis unu tre dika forko-forma branĉo. Sur ĝin la ursidoj metis multe da malpli grandaj branĉoj, kiujn ili trovis ĉie en la arbaro. Sur ĉion ĉi ili metis multe da filiko kaj folioj. Per tio ili konstruis ion, kio similis al nesto. Ili estis tre kontentaj pri sia verko. Kvankam ne tute certaj, ke ĝi sufiĉe fortikas por ilia pezo.

- Se ni ne estos tro maltrankvilaj, ĝi eltenos - pensis ili.

Ĉar en ursa hejmo devas esti ankaŭ manĝaĵo, ili tuj foriris por ĝi. Ho, kion ili alportis: pirojn, pomojn, frambojn, diversajn bongustajn berojn, iom da mielo. Ĉi-foje, dank' al pasintaj spertoj, ili petis de Paĉjo permeson por tion preni.

La manĝon ili portis supren, kaj, antaŭ ol vi sukcesus diri "kekso!", ili ĉion formanĝis. Tiam, kvazaŭ ege lacaj pro peza laboro, ĉiuj tri ekdormis. Ili transdormis eĉ la tagmanĝon, kio estas ĉe ili afero nekredebla. Panjo komence iom zorgis. Sed vidinte la deponejon malplena, ŝi konkludis, ke certe ili ne malsatas, sed ie ajn umas kaj ludas.

La ursidojn vekis bruado en la ventroj. Beroj ja ne satigas longe. Sed la triopo ne emis forlasi tro rapide la "domon", ĉar tiom pene ili laboris por ĝin konstrui. Kion do fari?

Felĉjo kaj Flavinjo komencis ruliĝi en la nesto. Nana rapide kriis:

- Hej, trankvilu! Alie ni ĉiuj trafalos! - sed tro malfrue.

La nesto ŝiriĝis kaj Felĉjo elfalis. Aŭdiĝis BUUM kaj ili vidis lin sidanta sub la arbo kaj konfuzita. Rigardante Felĉjon sube, Flavinjo ridis tiom forte, ke ŝi klinis sin trans la rando de la nesto. Ankoraŭ unu TRASSS kaj ŝi estis sube. Suferante same kiel Felĉjo, ankaŭ ŝi frotis sian postaĵon.

- VEEE, kia doloro! - veis ŝi.

Nana ridegis kaj ridadis, tiom ke larmoj aperis en ŝiaj okuloj. Kaj pro tio preskaŭ falis ankaŭ ŝi. Sed, malrapide irante, ŝi sukcesis alveni suben.

Panjo vidis, ke ili revenas hejmen apenaŭ spirante pro rido. Tuj ŝi komprenis, ke ili denove elpensis iun stultaĵon. Hu, tiu triopo - pensis Panjo - ja kion ili elpensis nun?

리뇨 라는 응석둥이

어느 아름답고 화창한 날이었다. 엄마 곰은 자신의 자녀들을 모이게 하고는 이렇게 말했다.

"오늘 우리 집에 브룬쵸 아저씨, 그리지뇨 아줌마 가족이 우리 집을 방문할 거야. 또 그 가족에겐 리뇨 라는 딸도 함께 온단다."

그 말은 곧 오늘이 나나, 페로, 플라에겐 나쁜 날이 될 터이고, 하루를 생각해 보니, 아주 까맣게 변할 것만 같았다. 그 삼 남매는 "리뇨"라는 아기곰 이름을 듣자마자. 벌써 두려움으로 떨고 있었다. 리뇨 라는 이름은 곧 최고의 말괄량이를 뜻한다. 그러나 엄마만 그 점을 결코 인정하지 않으려고 했다.

"리뇨는 어리단다. 너희가 그 아이를 잘 지켜 줘야 돼. 또 언제나 그 아이에게 먼저 양보해야 한다." 엄마는 그렇게 말을 자주 했었다.

우리 삼 남매가 엄마에게 리뇨를 자신들이 아는 아기곰 중에 가장 울보라고 말해도, 또 그 아이와 함께 있으면 그 아이는 정말 지루하게 하는 녀석이라 말해도, 또 주변 가족 모두의 사랑도 독차지하려는 녀석이라고 말해도, 엄마는 그 말을 믿지 않았다.

(그 밖에도 삼 남매는 그런 것들을 더 많이 알고 있다.)

리뇨가 우리 삼 남매 집에 들어서자마자, 벌써 응석을 시작했다.

"잠이 와, 잠이 온다구! 자고 싶어!"

그런 뒤에는 모두가 집안에서 아주 조-용-이, '귀여운 리뇨' 깨우지 않으려 발끝으로 다녀야 했다. 더 나쁘게도, 우리 삼 남매는 밖에 나가 놀 수도 없었다. 왜냐하면, 손님들이 방금 오셨는데, 손님을 맞이한 가정의 자녀가 바깥에 나가 노는 것은 예의가 아니란 것 때문이었다. 어느 정도의 시간 동안은 방문한 손님들과 함께 있어야 한다고 했다.

반 시간이 지난 뒤 리뇨가 깼다. 그녀는 울음을 터뜨리며 말했다.

"잘 수가 없었어. 나나, 페로, 플라, 큰 목소리로 떠드는 저 나쁜 오빠 언니들 땜에!"

이 말은 온전히 거짓말이었다. 그러나 엄마 아빠는 곧 우리 삼 남매를 야단쳤다. 나나와 페로, 플라는 이미 울고만 싶었다. 그러나 그러면 자신들이 더 엄한 벌을 받을 수도 있어, 그만 풀이 죽어 잠자코 있기만 했다.

그들은 바르게 행동하라는 설교를 한번 들어야 했다. 그리고 점심 시간이 되었다.

리뇨가 먼저 말했다.

"페로 오빠가 가진 사과가 내 거보다 더 이뻐. 난 저 사과 가질래! 어서 줘-잉!"

물론 그들은 서로 사과를 곧 바꾸었다. 그런데 리뇨는 이번에 플라 언니가 가진 사과가 더 맛있게 보이고 크게 보인다고 주장해, 한 번 더 사과를 바꾸게 되었다. 나나와 페로, 플라는 서로 눈길로 자신의 아주 큰 불만을 나타냈지만, 아직 말하지 않았다.

오분 뒤, 리뇨는 다시 울음을 터뜨렸다. 엄마 아빠가 그녀에게 왜 우느냐고 묻자, 그녀는 다만 이렇게 말했다.

"나나의 꿀이 내 거보다 훨씬 달아 보여요."

모두는 곧장 나나가 가진 꿀을 쳐다보았다. 그러나 리뇨의 말을 듣고 흥분한 나나가 이렇게 말하자, 집안 분위기는 얼음처럼 조용해져 버렸다:

"이 꿀 모두 같은 벌집에서 따왔거든. 그러니, 내 것이나 리뇨 거나 모두 같은 맛이거든."

그리고, 엄마가 실망하게도, 나나는 계속 말했다.

"그러니, 난 리뇨의 꿀을 내 것과 바꾸고 싶은 마음은 눈곱만큼도 없거든."

그 말을 듣자 리뇨는 아주 슬피 울었다. 그 모습은 마치 귀하신 분이 별세한 것 같았다. 나나의 엄마는 한번은 나나를 야단하였다. 그리고는 이젠 리뇨의 엄마 아빠에게 미안한 듯 용서를 구하는 것처럼 했다. 그래도 결국 꿀도 서로 바뀌게 되었다. 리뇨는 모두에게서 희생하는 곰처럼 보였고, 나나는 행실 나쁜 거만한 곰으로 여겨졌다.

그 뒤, 리뇨는 허락도 받지 않은 채, 플라가 가장 귀하게 여기는 장난감을 갖고 놀았다. 그것은 작고 둥근 호박인데, 진짜 공처럼 갖고 놀 수 있었다. 이를 본 플라는 정말 마음에 들지 않았지만, 그것을 입 밖에 낼 수 없었다. 왜냐하면, 그렇게 되면 곧장 모두는 플라를 나나 언니처럼 행실 나쁘게 볼 것이기에. 리뇨는 그 장난감을 가지고 잠깐 놀았다. 시간이 좀 지났다. 이젠 리뇨가 더는 그 공을 갖고 놀지 않을 것으로 플라가 생각한 그때, 리뇨는 그만 큰 발톱으로 그 공을 건드렸다. 아무도 알아채지 못하는 새, 리뇨는 플라의 장난감이던 그 작은 공을 그만 큰 발톱으로 찢어 버렸다.

그러자 플라가 그만 크게 울어 버렸다. 그런데 리뇨 엄마는 이렇게 대답할 뿐이다:

"어린 리뇨가 그렇게 찢어 버리고 싶었겠지. 너무 어리고, 아직 아무것도 몰라, 재는!"

그러면서 리뇨 엄마는 플라에게 말했다:

'저런 하찮은 물건에 이만큼 큰 아이가 울면 되겠니? (플라는 어린 리뇨보다 겨우 며칠 먼저 태어났는데도!) 부끄럽지 않니?"

그때 우리 주인공 삼 남매의 아빠-아버지 이름은 마르코 이다-가 이 상황을 보고는 화를 냈다. 아빠가 짧게 말할 뿐이다:

"리뇨도 정말 아주 사소한 일에도 울던데요. 우리 플라와 같은 나이예요."

그 말에 리뇨 엄마가 그만 화를 크게 냈다. 그러다가 리뇨 엄마가 숨도 제대로 못 쉴 정도가 되자, 어른들이 그 엄마를 집 밖으로 데려가야 했다. 리뇨 엄마가 평소의 숨으로 다시 회복하자, 이전의 분을 참지 못하고 말하였다:

"애들을 저렇게 교육을 제대로 시키지 않으니, 자식들에게서 무슨 기적을 기대하겠어요? 엄마 아빠가 모범을 보이지 않아 그렇게 되는 것은 당연하겠지요."

그 말에 삼 남매의 엄마도 폭발했다. 마침내, 삼 남매의 엄마는 지금까지 생각만 했지 한 번도 말하지 않던 것을 말했다:

"우리는 자식을 금이야 옥이야 키우지 않습니다. 자주 저 아이들로 인해 아주 화가 많이 나기도 하거든요. 그런데, 리뇨, 저 애가 우리 집에 오고 나서야 우리 애들이 정말 착하고 예의 바르게 행동하는 걸 알게 되었거든요."

이 말은 벌써 리뇨의 엄마 아빠에겐 심한 말이었다. 그들은 곧장 자리에서 일어나, 우리 삼 남매의 집을 나섰다. 리뇨 엄마는 나가면서 여전히 불평을 쏟아냈다:

"우린 평생 이렇게 무례한 일을 당하지는 않았거든요! 우린 여기를 다시 방문하지 않을 거요!"

바로 그 순간, 나나와 페로, 플라에겐 오늘은 방금 비가 왔지만, 어느 다른 날보다 더 아름다운 날이 되었다.

KATASTROFO NOMATA LINJO

Iun belan kaj sunan tagon la patrino ursino diris al siaj ursidoj:

- Hodiaŭ vizitos nin la parencoj Brunĉjo kaj Grizinjo. Venos ankaŭ ilia filino Linjo.

Tuj la tago al Nana, Felĉjo kaj Flavinjo fariĝis malbona kaj tiom nigra, ke pli nigra ĝi ne povus esti. Ili tremis eĉ pro nura aŭdo de la vorto "Linjo". Linjo signifas katastrofon unuarangan, kaj nur Panjo tion neniam volis agnoski.

Linjo estas eta. Vi devas gardi ŝin kaj ĉiam al ŝi cedi - diradis Panjo.

Ŝi neniam kredis ilin, kiam ili diris, ke Linjo estas la plej ploraĉa, teda kaj dorlotita ursido el ĉiuj de ili konataj. (Kaj ili konis vere multe da ili!)

Tuj kiam Linjo eniris la hejmon de nia triopo, ŝi deklaris:

- Mi estas tre-tre dormema! Mi devas tuj iri dormi!

Post tio ĉiuj devis iri tra la hejmo tre mallaŭte, kvazaŭ sur fingroj, por ne veki "Linjeton". Kaj plej aĉe estis, ke niaj ursidoj ne rajtis iri ludi ekstere, ĉar ne estas dece tuj foriri, se la gastoj ĵus alvenis. Vi devas almenaŭ iom resti kun ili.

Post duono da horo Linjo vekiĝis. Per plora voĉo ŝi diris:

Mi ne povis eĉ fermeti la okulojn, ĉar tiuj malbonaj Nana, Felĉjo kaj Flavinjo bruis kaj muĝis per plena voĉo!

Kvankam ĉi tio estis pura mensogo, ĉiuj tuj riproĉis la triopon. Nana, Felĉjo kaj Flavinjo jam deziris ekplori, sed ili sciis, ke tiam ili havus eĉ pli severan punon, kaj tial ili nur malgaje silentis.

Post la prediko pri bona konduto, sekvis tagmanĝo.

Linjo unue diris:

La pomo de Felĉjo estas multe pli bela ol la mia. Mi volas lian pomon! Snufff!

Kompreneble, la pomoj estis tuj interŝanĝitaj. Tiam Linjo konkludis, ke la pomo de Flavinjo estas eĉ pli bona kaj granda, kaj sekvis ankoraŭ unu interŝanĝo. Nana, Felĉjo kaj Flavinjo jam signis per okuloj sian egan malkontenton, sed nenion ili diris.

Post kvin minutoj Linjo denove ekploris. Oni demandis ŝin, kial ŝi ploras nun, kaj ŝi diris nur:

- La mielo de Nana estas multe pli dolĉa ol la mia.

Ĉiuj tuj turnis sin al la mielo de Nana. Sed konsterna silento fariĝis, kiam Nana respondis, incitita per tia konduto:

- La tuta mielo estas prenita el la sama abelujo. Sekve, mia mielo estas sama kiel tiu de Linjo.

Kaj, je malespero de Panjo, ŝi aldonis:

- Tial mi ne havas eĉ plej etan deziron interŝanĝi mian mielon kontraŭ tiu de Linjo.

Linjo komencis plori tiom malĝoje, kvazaŭ iu kara persono estus mortinta. La patrino de Nana alterne riproĉis Nanan kaj petadis pardonon de la gepatroj de Linjo. La mielo tamen estis interŝanĝita. Linjo por ĉiuj fariĝis viktimo, kaj Nana maldeca kaj impertinenta.

Post tio Linjo prenis sen peto la plej karan ludilon de Flavinjo. Tio estis eta ronda kukurbo, kiu povis ruliĝi kiel vera pilko. Al Flavinjo tio ne tute plaĉis, sed ŝi ne kuraĝis ion diri. Ĉar tuj ĉiuj respondus, ke ŝi estas same maldeca kiel ŝia fratino. Linjo iomete ludis. Kaj, ĝuste kiam Flavinjo kredis, ke ŝi finfine lasos la pilkon, Linjo faris movon per sia ungego. Ŝi disŝiris la pilketon de Flavinjo, antaŭ ol iu sukcesis kompreni, kion ŝi faras.

Tiam Flavinjo ekploregis. La patrino de Linjo respondis nur:

Linjeto ne volis tion. Ŝi estas ankoraŭ tre eta kaj nenion scianta!

Kaj tiam ŝi diris al Flavinjo:

- Kiel povas tiom granda ursido plori pro tia bagatelo? (Flavinjo estis nur kelkajn tagojn pli aĝa ol Linjeto!) Ĉu vi ne hontas?

Tiam la patro de nia triopo, la urso Marko, tediĝis pri ĉio ĉi. Li diris nur mallonge:

- Via Linjo ploras pro multe malpli gravaj aferoj, kaj ŝi estas same aĝa kiel Flavinjo.

Post tio la patrino de Linjo ekkoleris tiom forte, ke ŝi perdis la spiron, kaj oni devis forkonduki ŝin el la domo. Kiam ŝi retrovis la spiron, ŝi diris kun danĝera muĝado:

- Ne estas miraklo, ke la ursidoj estas tiom fuŝe edukitaj. Kompreneble, ĉar la gepatroj donas malbonan ekzemplon.

Post tio ankaŭ la patrino de nia triopo eksplodis. Fine ŝi diris tion, kion ŝi ĉiam pensis, sed neniam diris:

- Miaj ursidoj ne estas el oro. Kaj ofte ili tre kolerigas min. Sed kiam Linjo venas vizite, mi komprenas, ke fakte ili estas bonaj kaj decaj.

Tio ĉi jam estis troa por la gepatroj de Linjo. Ili tuj stariĝis kaj ekiris. Kaj, elirante, ili ankaŭ furioze aldonis:

- Ĉi tian impertinentaĵon ni en la tuta vivo ne spertis! Neniam plu ni vizitos vin!

En la sama momento, la tago por Nana, Felĉjo kaj Flavinjo fariĝis pli bela ol iu ajn antaŭe, kvankam ĵus ekpluvis.

페로가 사랑에 빠지다

어느 날, 작은 숲속에 다른 곰 가족이 나타났다. 그 가족 구성원은 넷이다. 아빠, 엄마, 어린 딸 사라(나이는 페로와 다소 비슷함), 또 갓난 아들 미키였다. 미키는 너무 자주 외쳐댄다. 그러나 여기 이 이야기는 그 간난 이에 대한 것이 아니라 사라 이야기이다. 사실은 페로와 사라 이야기다.

사라는 정말 예쁘다. 사라는 유쾌하고, 맘에 들고, 놀 준비도 언제나 되어 있다. 그 밖에도 그녀는 아주 예의바르고 정돈도 잘 한다. 모든 어머니 곰이라면 바라는 그런 성격의 딸 곰이다.

페로가 처음 사라를 보았을 때, 그녀에게서 별로 흥미나 특별한 것을 찾지 못했다. 암컷 새끼 곰일 뿐이었다. 어리석게도! 사라는 자신을 더럽히지 않으려고 늘 신경 쓴다. 그러면서도 간단한 놀이엔 서툴게도 꼭 참가한다! 그런데 진짜 신나는 놀이엔 사라는 정말 관심이 없다. 페로의 생각은 이렇다. '저런 간단하고 지겨운 놀이를 왜 하지? 더구나, 이 숲엔 암곰들만 보이네. 저 사라 라는 암곰이 나처럼 수컷이면 좋겠는데, 아쉽다! 그때는 우리가 함께 재미있게 놀 수 있을텐데. 그러니 지금 나에겐 관심 있는 것은 아무것도 없어!'

며칠이 지났다. 사라는 나나와 플라와 정말 사이좋게 잘 지냈다. 기꺼이 그들은 함께 놀았다. 그러나 페로에겐 모든 일은 조금도 흥미롭지 않다. 이제 사라가 페로의 두 누이와 놀기만 하니, 페로로서는 두 누이를 뺏긴 것 같았다. 지금 그들 셋은 페로와는 함께 놀지도 않는다. 더욱 더 그들의 관계가 나빠졌다! '왜 사라가 이 숲으로 왔는가? 그 애가 여기 없을 때, 여긴 더 아름다웠는 걸' 그렇게 페로는 생각했다.

바로 그때, 페로가 그만 넘어져 무릎을 다쳤다. 피도 났다. 그러나 그는 알고 있었다. 덩치 큰 그가 울면 안 된다는 것을! 하지만 눈물 몇 방울이 몰래 흘러내렸다. 무릎은 정말 세게 아팠다.

그런데 갑자기 사라가 그가 있는 곳으로 다가 와, 그를 도우려고 했다. 사라는 그를 위로해 주었다. 왜냐하면 그가 울고 있었기 때문이다.

"그게 그렇게 많이 아프니?" 그녀가 물었다.

물론 그 말을 들은 페로는 화가 났다. 정말, 진짜 아프다. '그런데 왜 이 아이는 바로 그 점을 묻는가?'

그리고, 더 나빴던 것은, 사라가 페로의 우는 모습을 본 것이다. 강하고 강한 소년 곰인 그가 우는 모습을!

'왜 이 아이는 여기로 왔을까?" 페로는 생각했다.

그런데, 사라가 자신의 손을 페로의 상처에 살며시 올렸다. 그런데 갑자기 기적 같은 일이 일어났다! 사라가 손으로 그 상처를 덮자, 아픔이 싹 가신 것 같았다!

페로는 뭔가 포근함을 느끼게 되었다. 또 얼굴도 토마토처럼 붉혔다. 나중에 온종일 그는 너무 평온하게 지냈다. 아무 놀이에도 그는 관심을 갖지 않았다. 나나와 플라는 그에게 무슨 일이 일어났는지 이해하지 못했다.

'아마 그에게 병이 생겼을까?'

사라를 다시 보게 될 때까지 페로는 그런 상태로 있었다. 그가 사라를 다시 보는 순간, 그는 혼돈스럽게 사라 주변을 이유 없이 배회하였다. 그저 생각지도 않은 말을 하기도 하고, 또 마치 교통 신호등처럼 얼굴이 한 번은 붉더니, 또 한 번은 파랗게 되었다.

마침내 나나는 정말 페로가 사랑에 빠졌구나! 하고 알아차렸다. 불쌍한 페로는 자신의 누이들이 놀리자, 그 자리를 벗어나야 했다.

다음날 페로는 사라의 집 앞에 커다란 배 하나를 갖다 놓았다. 다음날에는 사과 한 개를 갖다 놓았다. 나중에 그는 사라에게 폭포가 있는 곳까지 함께 산책하자고 제안했다. 집에서는 모두 그를 놀리자, 식구들과도 잠시라도 함께 더 지내려고 하지 않았다. 플라는 오빠를 볼 때마다 노래했다:

사라와 페로는 사랑하는 사이라네. 친구들은 결혼선물줄 준비를 하고 싶네!

그러자, 페로는 머리부터 발끝까지 빨갛게 되었다.

이젠 작은 숲속의 모든 짐승은 페로의 이상한 행동을 눈치챘다. 그가 열매가 달린 월귤나무 가지를 꺾어서는 사라의 집 앞에 그 가지를 두고, 돌아가는 모습을 보면서, 그들은 웃음을 지어 보였다. 이 모든 것은 미쵸 라는 다른 소년 곰이 나타나기 전까지는 아름답게 보였다. 페로와 같은 나이의 미쵸는 덩치도 더 크고 힘도 더 셌다. 또 페로가 깜짝 놀랍게도, 그만 사라는 미쵸를 좋아하게 되었다. 사라는 페로가 가져다주는 선물엔 눈길도 주지 않더니, 미쵸 뒤만 졸졸 따라다녔다.

페로는 이제 더는 입맛도 없었다. 그는 우울하게도 자신의 집에 누워, 천장만 쳐다보고 있었다. 엄마는 처음에는 그런 그를 보고는 웃었지만, 나중에 관심을 가지기 시작했다.

페로에게 다행스럽고 또 엄마에게 다행스럽게도, 뒤엉킨 운명의 도움을 받았다. 사라의 엄마 아빠가 이 작은 숲이 맘에 들지 않아, 다른 곳으로 이사 가서 살기로 했다. 사라 가족이 이사 간 뒤, 하루 동안 페로는 드러누웠다. 그러더니 다음날엔 페로는 활달함을 되찾고, 마치 아무 일도 없었다는 듯이 행동했다. 또 시간이 좀 지난 뒤, 니뇨 라는 확실한 소녀 곰을 새로 알게 되었다....

FELĈJO ENAMIĜIS

Iun tagon en Eta Arbaro aperis nova ursa familio. Panjo, Paĉjo, eta filino ursino Sara (aĝa pli-malpli same kiel Felĉjo) kaj novnaskita filo ursido Miki. Miki estis neeltenebla krianto, sed tio ĉi estas rakonto ne pri li, sed pri Sara. Fakte pri Felĉjo kaj Sara.

Sara estis vere bela. Kaj gaja, plaĉa, ĉiam preta por ludo. Krom tio, ŝi estis tre deca kaj ordema. Ĝuste tia ursa filino ŝi estis, kian ĉiu ursa patrino dezirus.

Kiam Felĉjo unuafoje ŝin vidis, li ne trovis ŝin eĉ iomete interesa aŭ speciala. Ursineto kiel ĉiuj aliaj ursinetoj. Stulte! Ĉiam nur atenta por ne malpuriĝi. Mallerta kaj ludanta idiotajn ludojn! Kaj la veraj ludoj ŝin tute ne interesas. Ja kion faru unu ursa knabo kun tia enuaĵo? Kial, cetere, en la arbaron venas nur knabinoj? Domaĝe, ke ŝi ne estas knabo! Tiam ili povus bele kunludi. Sed ĉi tiel - nenio!

Pasis kelkaj tagoj. Sara vere plaĉis al Nana kaj Flavinjo. Volonte ili ludis kune. Sed al Felĉjo la afero plaĉis neniom. Jen, ŝi forprenis de li la fratinojn. Nun eĉ ili ne plu ludas kun li. Ĉiam pli malbone! Kial ŝi devis veni al Eta

Arbaro? Tre bele estis, dum ŝi ne estis ĉi tie - pensis Felĉjo.

Kaj tiam Felĉjo falis kaj vundis la genuon. Eĉ sango ekfluis. Jes, li sciis, li estas granda kaj ne rajtas plori, sed tamen kelkaj larmoj kaŝe fluis. La genuo ja ege doloris.

Subite apud li aperis Sara kaj provis lin helpi. Ŝi kompatis lin, ĉar li ploris.

Ĉu multe tio doloras vin? - demandis ŝi.

Felĉjo, kompreneble, koleris. Ja certe, ke tio doloras! Kial ŝi entute devas demandi?

Kaj, plej malbone, ŝi vidis lin plori. Lin, fortan kaj fortikan ursan knabon!

- Kial ŝi devis ĉi tien veni! - pensis Felĉjo.

Sed Sara metis sian ursan manon sur lian vundon. Kaj subite okazis miraklo! Kiam ŝi per la mano kovris lian vundon, la doloro ŝajnis ĉesi!

Felĉjo sentis ian agrablan varmon kaj iĝis ruĝa kiel tomato. Kaj poste la tutan tagon li estis iom tro trankvila. Neniu ludo lin interesis. Nana kaj Flavinjo ne komprenis, kio okazas al li.

Eble li malsaniĝis?

Tia li restadis, ĝis kiam reaperis Sara. En tiu momento li konfuziĝis kaj umis ĉirkaŭ ŝi sen speciala kialo, diradis stultajn komentojn, kaj iĝis jen ruĝa, jen verda, kiel trafiklumo.

Finfine Nana komprenis: - Ja Felĉjo enamiĝis!

Kompatinda Felĉjo, tiom ili mokis lin, ke li devis fuĝi.

Morgaŭ li apud la hejmo de Sara lasis grandan piron, kaj postmorgaŭ pomon. Poste li proponis al ŝi, ke ili iru promeni ĝis la akvofalo. Sed hejme ĉiuj mokis lin tiom multe, ke li kun ĉiu klopodis resti ne plu ol du minutojn. Flavinjo ĉiun fojon kantis al li:

- Sara kaj Felĉjo
estas ama par',
edziĝan donacon
donos l'amikar'!

Kaj Felĉjo ĉiun fojon fariĝis ruĝa de l' kapo ĝis la piedoj.

Jam ĉiuj anoj de Eta Arbaro rimarkis lian strangan konduton. Kun rideto ili rigardis lin, dum li portis mirtelan branĉeton plenan de beroj al la hejmo de Sara, kaj revenadis hejmen sen ĝi.

Ĉio ĉi ŝajnis bela, antaŭ ol aperis Miĉjo. Li estis same aĝa kiel Felĉjo, sed multe pli granda kaj forta. Kaj, je konsterniĝo de Felĉjo, tiu Miĉjo plaĉis al Sara. Ŝi kun malestimo rifuzis donacojn de Felĉjo, kaj kuris kvazaŭ blinde post Miĉjo.

Felĉjo ne plu havis emon eĉ manĝi. Li nur triste kuŝadis en la hejmo kaj rigardis al la plafono. Panjo unue ridis pri tio, sed poste ŝi komencis zorgi.

Feliĉe por li kaj por Panjo, la sorto enmiksiĝis kaj helpis ilin. La gepatroj de Sara decidis, ke ankaŭ Eta Arbaro ne plaĉas al ili, kaj ke ili foriros. Felĉjo ankoraŭ unu tagon post ŝia foriro malsanumis, kaj poste li vigliĝis kaj kondutis kvazaŭ nenio estus okazinta. Kaj krom tio li ekkonis certan Ninjon...

무서움

나나와 플라는 어둠이라면 정말 무서워했다. 밤에는 엄마 아빠는 그 둘을 집 밖에 심부름시키는 일은 할 수 없었다. 이 숲의 먼 가장자리까지 들릴 만큼 배에 꼬-르-륵 하는 소리가 크게 날만큼 배가 심하게 고파도 밤이라면 바깥으로 나가려 하지 않는다. 집 앞에 가장 맛난 꿀 과자가 놓여 있다 해도. 그래서 아빠와 엄마의 설득은 아무 소용이 없었다:

“밤에 너희를 놀라게 하는 것은 아무것도 없단다. 낮에 여기에 있는 것이라면, 밤인 지금도 여기에 가만히 있단다.”

그러나 그 말은 아무 도움이 되지 않았다. 그들은 밤이 되면 무서웠다. 그것이 전부였다. 나나는 언제나 어둠 속에 무섭게 머리를 내미는 모습을 여럿 본 적이 있다고 했다. 플라는 무슨 공포감을 주는 소리, 끼-익 하는 소리, 때리는 소리, 삐걱거리는 소리 등등의 비슷한 소리를 자주 듣는다고 했다. 페로는 그렇게 말하는 누이들을 늘 비웃었다:

“누나와 누이는 정말 용기도 없네. 겁쟁이들이야. 무서움을 잘 타니! 뭐든 보이는 것이기만 하면 둘은 겁을 내구! 날 좀 봐! 난 아무것도 무서워하지 않아!”

나나와 플라 둘에게 그렇게 말하는 페로의 말은 아주 맘에 들지 않았다. 하지만 저 공포의 어둠 속에서 달아나는 것보다야 겁쟁이라 불리는 게 더 낫다. 그래서 이제 어린이 여러분에게 들려주고픈 사건이 하나 있습니다. 그 사건은 이렇게 벌어졌어요. 한번 들어 보세요.

우리 주인공 삼 남매는 다시 술래잡기 놀이를 하였다. 페로는 술래잡기할 때 두 자매가 어디에 숨고, 어떻게 자신을 찾을지 너무 잘 알고 있으니, 자신은 가까운 곳에 있는 동굴 안에 숨을 작정이었다.

'그들이 동굴로 와 볼 용기도 없을 걸. 이번엔 절대로 나를 찾지 못할걸' 하며 그는 만족한 듯 살짝 웃었다.

그는 동굴 안으로 들어갔다. 처음의 계획은 그저 동굴 입구에 숨는 것이었다. 그런데 들어가 보니, 동굴 바깥에서 들어오는 빛 때문에 동굴 내부의 앞쪽은 밝았다. 페로는 술래들이 그래도 용기를 내어 한 번쯤 이 동굴 안도 살펴볼지도 모른다는 생각이 퍼뜩 났다. 그러면 페로 자신이 곧 발각될 것이다. 그 때문에 그는 동굴 안으로 더 깊이 들어가 보기로 했다. 그런데 그는 자신의 발을 어디다 디뎌야 할지 먼저 주변을 살피지 않고 출발했다. 동굴 바닥에는 움푹 파인 구멍이 하나 있는 것을 그는 몰랐다. 그런데 그 구멍은 동굴의 지하 공간으로 연결된 통로 같은 곳으로 향하는 입구였다. 그곳은 그가 한번도 가보지 못한 곳이었다.

그 터널은 아주 길고 또 그 길이 몹시 비탈졌다.

그렇게 발걸음을 옮기다가 페로는 그 구멍 속으로 발을 헛디디게 되었다. 그 바람에 그는 그 통로의 아래로 떨어지고 있음을 알았다. 그리고는 먼 지하 공터들로 향하는 곳까지 미끄러져 내려가고 있었다. 그렇게 내려가는 동안, 그 안은 완전히 깜깜하였다. 그러다 한 곳에 풀썩 발이 닿았다. 그곳에서는 아무 방향도 찾을 수 없었다. 정신을 차릴 사이도 없이 통로 안에 출구를 찾느라 이곳저곳으로 가다 보니, 그는 동굴 안의 더 깊숙한 곳으로 계속 가고 있었다. 정말 정신을 차려 자신이 지금 뭘 하는지, 어디로 향하는지 분간할 수 있었을 때, 그는 이미 너무 멀리 와 있었고, 되돌아갈 길도 못 찾았다.

그때 난생 처음 그는 어둠의 무서움을 느끼게 되었다. 그것도 낭패감을 느낀 아주 큰 무서움이다. 이제 두 자매가 이런 무서움에 쉽게 맞서지 않은 이유를 알 것 같았다. 누구나 간-단-히 무서운 상황에 빠지는구나- 그리고 이때는 어느 현명한 논쟁도 도움이 되지 않는다. 그는 바닥에 앉아 그저 울음만 터뜨렸다. 처음에는 약하게, 나중엔 점점 더 크게.

한편 나나와 플라는 페로를 찾아 주위를 다 뒤졌다. 그들이 아는 장소들은 모두 찾아가 보았지만, 헛일이었다. -그가 마치 땅 밑으로 떨어져 버린 것 같았다. (그리고 실제로 그가 지금 그렇게 되었지만, 그들은 아직 이를 모른다!) 그때 나나는 동굴을 생각해 냈다. 겁을 내며 조심조심 그들은 동굴 입구로 가서는, 입구에서 보니 그 동굴 안에 어느 정도 빛이 들어가 있음을 알았다. 그들은 동굴 안으로 들어가 보기로 했다. 그 안에서 그들은 페로의 발자국을 발견했다.

"아, 이곳에 페로가 몸을 숨겼구나. 정말 교활한 것

같으니!"

그들은 그렇게 생각하고는 그 발자국들을 따라가 보았다.

그러나 그 발자국들은 점점 더 짙은 어둠 속으로 향하고 있었다. 나나와 플라는 그곳으로 더 들어가기에 앞서, 페로를 한 번 불러 보았다.

"페로, 페로! 어서 나와. 우린 네가 이 안에 있는 것 안다구." 그들은 외쳤다.

"페로, 나-와-라! 우리는 너 찾았어!"

"펠-쵸! 페-ㄹ-쵸--오"

아무 반응이 없었다. 페로는 그때 그 소리를 듣지 못해 대답하지 않았다. 그들은 한동안 그 자리에 앉아 기다렸다. 페로가 이곳에 있는 것을 지루하게 느끼면 그때는 제 발로 나오겠지 하는 희망을 안고. 그런데도 페로는 나타나지 않았다.

곧 밤이 되기 시작했다. 그들은 이제 페로가 이 안에 없구나 하고 생각하며 자리에서 일어나 나오려는데, 그때 플라는 울음소리 같은 것을 들은 것 같았다. 나나는 너무 겁이 많은 플라가 상상만으로 듣게 된 소리라고 처음엔 생각했다. 그러나, 두 자매가 귀를 기울여 자세히 더 들어보니, 나나도 누군가 울고 있는 소리를 듣게 되었다.

'저 소리가 페로가 내는 울음소리일까?' 나나가 생각했다. "어둠 속에서 걷다 발을 다쳤을 수도 있어. 그럼 지금 그가 걸을 수 없단 신호인가?" 나나는 걱정이 되기 시작했다.

두 자매는 더 안으로 들어가 보았다. 겁이 많은 그들의 심장은 더 세게 뛰었다. 만일 그때 옆에 누구라도 있었다면, 그들의 쿵쿵거리는 심장 소리를 곧장 들을 수 있을 정도였다. 또 동굴 안은 서늘했지만, 그들은 등에 식은땀이 났다. 그래도 그들은 계속 가보았다. 만일 페로가 사고를 당했다면, 그들은 도와주어야 한다. 그들은 아주 조심해서 걸어갔기에, 그들은 곧 동굴의 바닥에 구멍 하나가 있는 것을 발견할 수 있었다. 그때 그들은 울음소리가 그 구멍 안에서 들려오는 것을 알아차렸다. 그들은 이제 울음 우는 이가 누군지도 알 수 있었다. 그것은 페로였다! 그러나 자매는 그 구멍 난 곳을 살펴보고는, 그들로서는 들어갈 수 없음을 알았다. 그래서 그들은 서둘러 집으로 가서, 부모님께 알려 도움을 요청했다.

다행스럽게도, 아빠는 그 동굴을 잘 알고 있었다. 그는 동굴 안의 구멍 아래 놓인 통로로 향하는 더 쉬운 길이 다른 곳에 있음을 알고 있었다. 황급히 아빠가 페로를 구하러 갔다. 페로가 있는 곳에 급히 다다른 아빠는 그곳의 한구석에서 눈물로 뒤범벅이 된 채, 떨고 있는 페로를 발견했다. 페로는 겁에 질리고, 무서움에 뒷다리가 세게 떨었다. 그래서 아빠가 페로를 부축해, 겨우 그 터널의 동굴 밖으로 나올 수 있었다.

그 사건 뒤로도 나나와 플라는 어둠을 무서워하였다. 그런데, 아마 그 사건 때문인지 그 무서움 정도는 다소 덜 했다. 하지만, 이제는 페로가 더는 누나와 누이를 겁쟁이라고 말할 수 없었다.

TIMO

Nana kaj Flavinjo ege timis la mallumon. Tuj kiam noktiĝis, neniu plu povis ilin peli el la hejmo. Ili ne elirus, eĉ se iliaj ventroj bruus pro malsato tiom forte, ke ĝis la rando de la arbaro tio aŭdiĝus. Eĉ se antaŭ la hejmo kuŝus la plej bongusta mielkuko. Vane Paĉjo kaj Panjo klarigis:

En la nokto estas nenio terura. Kio ajn estis ĉi tie dum la tago, tio estas ĉi tie ankaŭ nun.

Sed tio neniom helpis. Ili timis, kaj punkto. Nana ĉiam vidis terurajn kapojn gapi el la malhelo. Flavinjo ĉiam aŭdis iajn terurajn sonojn, knaron, batadon, grincadon kaj simile. Felĉjo konstante mokis ilin: - Vi du estas malkuraĝuloj, timuloj kaj tremuloj! Ĉion ajn vi timas! Kaj vidu min! Mi timas nenion!

Al ili du tio ne tre plaĉis. Sed tamen, prefere nomiĝi timulo, ol foriri al tiu terura mallumo. Kaj tiel statis la afero ĝis la evento, pri kiu mi tuj rakontos. Jen la evento:

Nia triopo denove ludis kaŝludon. Felĉjo, konante bone Nanan kaj Flavinjon, decidis sin kaŝi en proksima kaverno.

- Ili ne kuraĝos eĉ proksimiĝi al tiu kaverno.

Neniam ili trovos min - pensis li kontente kaj ridetis.

Li eniris la kavernon. Komence li volis resti ĉe la enirejo. Sed de ekstere venis lumo kaj lumigis parton de la kaverno. Felĉjo pensis, ke ili tamen povus kolekti la kuraĝon kaj eniri, ĉar ĉio estis bone videbla. Tial li decidis iri pli profunden en la kaverno. Sed li ekiris sen atenti, kien li metas la piedojn. Tial li ne rimarkis truon en la grundo. Kaj tiu truo estis komenco de tunelo kondukanta al subteraj haloj de la kaverno, en kiuj li neniam estis. La tunelo estis tre longa kaj kruta.

Felĉjo subite sentis sin falanta. Li trafis ĝuste la mezon de la truo, kaj forruliĝis al la malproksimaj subteraj ejoj. En plena mallumo, sen ajna orientiĝo, li senscie komencis malproksimiĝi de la tunelo kaj iri ĉiam pli profunden en la kaverno. Kiam li komprenis, kion li faras, li jam estis tre malproksime, kaj ne kapablis reveni.

Tiam, la unuan fojon en la vivo, lin kaptis timo pro la mallumo - grandega timo. En tiu momento li komprenis, ke Nana kaj Flavinjo ne facile povas kontraŭstari tiun timon. Oni simple timas - kaj neniu saĝa argumento tiam povas helpi. Li sidiĝis sur la grundo kaj ekploris. Unue mallaŭte, kaj poste ĉiam pli kaj pli laŭte.

Dume Nana kaj Flavinjo serĉis Felĉjon je ĉiuj flankoj. Jam ĉiun konatan lokon ili kontrolis, sed vane - li estis kvazaŭ enfalinta en la teron. (Kaj fakte okazis ĝuste tio, sed ili ne sciis!) Tiam Nana rememoris la kavernon. Time ili aliris la enirejon, sed, vidinte ke tie estas lumo, ili decidis eniri. Ene ili vidis spurojn de Felĉjo.

- Ha, tie li sin kaŝis, la ruza fripono! - pensis ili kaj sekvis la spurojn.

Sed la spuroj kondukis al ĉiam pli kaj pli densa mallumo. Tien Nana kaj Flavinjo ne emis iri, sed ili komencis voki Felĉjon.

- Felĉjo, Felĉjo! Eliru, ni scias, ke vi estas ene - kriis ili.

- Felĉjo, eliru! Ni trovis vin!

- FELĈJO! FELĈJOOO!

Nenio. Li ne respondis. Tiam ili sidiĝis kaj atendis, kun espero, ke la afero tedos lin, kaj ke li eliros mem. Sed li ne aperis.

Baldaŭ komencis noktiĝi. Jam ili volis eliri, pensante ke Felĉjo tamen ne estas ene, sed al Flavinjo ŝajnis, ke ŝi aŭdas ian ploron. Nana certis, ke Flavinjo denove fantaziumas pro granda timo. Sed, aŭskultinte iom pli bone, ankaŭ ŝi kredis, ke iu ploras.

- Ĉu tio ne povas esti Felĉjo? - ŝi pensis. - Eble li vundis sian piedon en tiu mallumo, kaj nun li ne povas paŝi? - zorgis ŝi.

Ambaŭ malrapide foriris pli profunden. Iliaj koroj batis tiom forte, ke tion oni povis eĉ aŭdi. Kaj, kvankam la kaverno estis malvarma, sur ili fluis ŝvito. Sed ili iris plu. Se Felĉjo havis akcidenton, ili devas helpi.

Ĉar ili paŝis tre atente, ili rimarkis la truon en la grundo. Tiam ili komprenis, ke la ploro venas ĝuste el ĝi. Ankaŭ la voĉon ili rekonis. Tio estis Felĉjo! Sed observinte la truon ili konkludis, ke solaj ili ne povos eniri. Tial ili rapidis ĝis la hejmo kaj vokis la gepatrojn por helpo.

Bonŝance, Paĉjo bone konis la kavernon. Li sciis, ke ekzistas alia, multe pli facila, vojo al la subteraj haloj. Rapide li foriris al Felĉjo. Li trovis lin plorkovrita kaj mizera, tremanta en iu angulo. Liaj gamboj tiom tremis, ke eĉ kun helpo de Paĉjo li apenaŭ sukcesis eliri.

Post tiu evento Nana kaj Flavinjo daŭre timis la mallumon. Nu, eble tamen iom malpli. Sed Felĉjo neniam plu diris, ke ili estas timulinoj.

뗏목

어느 날, 우리 곰 삼 남매는 특별한 목적 없이 온 숲을 이리저리 어슬렁거렸다. 어느 강가에 도착해 보니, 그들은 무슨 나무 같아 보이는 이상한 물체가 물 위에 있는 것을 보았다. 그 물체는 아주 아주 넓었다. 마치 여러 개의 통나무가 서로 붙어있는 것처럼 보였다. 그것은 뗏목이었다. 그러나 우리 삼 남매는 지금까지 그런 걸 본 적이 없었다. (간밤에 바람이 세차게도 불었다. 사람들이 뗏목을 강가에 단단히 묶어 두지 않아, 그 묶인 것이 바람에 그만 풀어져 작은 숲의 강 쪽으로 오게 되었나 보다.)

삼 남매는 곧 이 뗏목을 좋아했다. 나나가 그곳으로 맨 먼저 헤엄쳐 갔다. 처음에 그녀는 조금 주저하며 겁을 냈다. 나중에 뗏목을 한번 건드려 보았고, 나중에 용기를 내어 그 뗏목 위로 올라가 보았다. 플라와 페로는 그것을 보고는, 곧장 첫째가 하는 대로 용감하게 따라 뗏목으로 올라 가보았다. 다만, 플라는 곧장 혼자 오를 수 없었다. 나나가 물에 다시 뛰어 내려와, 플라를 위로 밀어 올려야 했다. 페로는 혼자서도 문제없이 올라왔다.

마침내 삼 남매 모두 뗏목에 오르게 되었다. 그들은 아무 할 일 없이 따뜻한 햇볕을 받으며 누워 있었다. 그러나 곧장 그들이 있는 강가로 다른 새끼 곰 네 마리가 나타났다. 그리고, 우리 삼 남매가 즐기고 있는 모습을 보고는, 그들도 이 이상한 통나무 둥치로 올라가 보고 싶었다.

그리고, 어린이 독자 여러분이 새로 나타난 네 마리의 곰에게 눈길을 보내기도 전에, 그들은 물속으로 뛰어들어 뗏목을 향해 헤엄쳐 왔다. 그러면서 그들은 물속에서 소리쳤다:

"우리도 그 위로 올라가도 되니?"

우리 삼 남매는 자신들을 뗏목 주인이라 믿고서 낯선 그들을 받아들이고 싶지 않았다.

"우리가 먼저 왔으니, 지금 이건 우리 것이거든! 너희들 자린 없거든!" 페로가 불평하며 대답했다.

그러나 낯선 새끼 곰들은 그 뗏목에서 떠나려고 하지 않았다. 그들은 뗏목 위로 오르려고 애썼다. 한편 나나와 페로와 플라는 그들을 물속으로 밀어 넣느라 아주 바쁘다. 진짜 싸움이 벌어졌다. 뗏목 위의 삼 남매는 하지만 기선을 잡고 있었다. 그들은 낯선 이들을 자신의 소유물로부터 지켜내는데 일단 성공했다.

그러나 바로 그때, 물속에 있던 낯선 이들은 뗏목 밑으로 헤엄쳐 가서는 간단히 뗏목을 뒤집어 버렸다. 나나와 페로, 플라는 갑자기 물속으로 빠져 버렸고, 상대방이 이번엔 뗏목 위로 올라갔다.

이제 우리 삼남매는 뗏목에 오르려고 시도했고, 그 네 마리는 삼 남매를 밀쳐내느라고 애썼다. 나나는 그 중 한 마리를 물에 떠미는데 성공했으나, 페로와 플라는 남아있는 상대방들보다는 훨씬 덩치가 작았다. 따라서 삼 남매는 다시 오르는 일에 실패했다. 그리고 그 상대방 중 떨어진 한 녀석은 다시 뗏목에 올라갔다. 그때 우리 삼 남매는 뗏목을 뒤집으려고 했으나, 그러기엔 너무 힘이 모자랐다. 그 때문에 그들은 이를 포기하고, 그들이 지금 할 수 있는 것이라곤 그 싫은 네 마리를 향해 물을 튀기는 것뿐이다.

"그것은 우리 통나무야, 너희 것이 아냐!" 우리 삼 남매가 불만을 말했다.

"왜 너희 것이니?" 낯선 새끼 곰들이 대답했다. "우리가 위에 있으니, 이젠 우리 것이거든!"

"너흰 정말 뻔뻔해!" 플라가 화를 냈다.

"난 우리 엄마에게 너희를 이를 거야!" 플라는 위협하는 동시에 그들 중 한 녀석을 물에 빠뜨리려고 했다.

"아, 그래 그럼 한번 그렇게 해 봐!" 그중 한 녀석이 응수했다.

그때 갑자기 상대방 중 하나가 어쩌다가 그만 한번 날린 발길질에 플라의 머리가 맞았다. 가장 작은 낯선 녀석이 플라의 머리를 때린 것이다. 그가 정말 플라를 때리고 싶지 않았는데도 말이다! 그것은 순간 벌어진 일었다.

플라는 아주 세게 울면서 외쳤다: "엄---마!" 그 큰 울음 소리는 작은 숲에 사는 절반의 짐승들이 들을 수 있을 정도였다. 그러자 그 순간에야 서로 싸움은 그쳤다. 이젠 모두 그 뗏목으로 올라갈 수 있었다. 플라는 곧 울음을 그치고 머리 아픈 것도 잊었다. 그녀는 이제 만족한 듯이 좀 전까지 자신과 열심히 싸우면서도 특별한 의도 없이 자신을 때린 같은 또래의 그 낯선 녀석과도 서로 말을 트기로 했다. 페로는 이제 그 낯선 곰들의 형에게 간지럼을 태우기도 했다.

모두는 이제 좀 쉬었다. 그리고 함께 다시 물속으로 뛰어들기 놀이를 시작했다. 그리고 다시 올라타기 놀이도 했다. 모두는 저녁 식사에 늦게 참석할 만큼 그 놀이가 재미있었다.

FLOSO

Iun tagon la ursidoj sencele vagadis tra la arbaro. Veninte al la rivereto, ili rimarkis, ke iu stranga ligna objekto kuŝas sur la akvo. Tiu objekto estis tre-tre larĝa. Kvazaŭ pluraj trunkoj estus gluitaj unu kun la alia. Tio estis floso, sed la ursidoj tion ĝis tiam ne vidis. (Pasintan nokton blovis forta vento. Ĉar la floso ne estis bone ligita al bordo, ĝi malligiĝis, kaj la vento pelis ĝin al Eta Arbaro.)

La triopo tuj ekŝatis la floson. Nana alnaĝis ĝin la unua. Komence ŝi iom hezite kaj timeme tuŝis la floson, kaj poste ŝi kuraĝiĝis kaj surgrimpis ĝin. Flavinjo kaj Felĉjo, vidinte tion, tuj sekvis kuraĝe ŝian ekzemplon. Flavinjo ne povis surgrimpi, kaj tial Nana devis salti en la akvon kaj puŝi Flavinjon de sube. Felĉjo grimpis sola, sen ajna problemo.

Finfine ĉiuj tri troviĝis sur la floso kaj kuŝis nenifare sub varma suno. Sed tre baldaŭ venis al la bordo kvar novaj ursidoj. Kaj,[komo] vidinte nian triopon ĝuanta, ankaŭ ili deziris grimpi sur tiun strangan lignaĵon.

Kaj, antaŭ ol vi sukcesus turniĝi, jam ili saltis en la akvon kaj venis al la floso. El la akvo ili kriis:

- Ĉu ankaŭ ni rajtas supren?

Nia triopo kredis sin posedantoj de la floso, kaj ne volis akcepti ilin.

- Ni venis la unuaj, kaj tio nun estas nia! Ne estas loko por vi! - grumble respondis Felĉjo.

Sed la fremdaj ursidoj ne deziris foriri. Ili klopodis grimpi sur la floson, kaj Nana, Felĉjo kaj Flavinjo tre diligente klopodis ilin faligi. Fariĝis vera batalo. La triopo sur la floso tamen havis avantaĝon kaj sukcese rebatis la fremdulojn for de sia posedaĵo.

Sed tiam la fremduloj, kiuj estis en la akvo, naĝis sub la floson kaj simple ĝin renversis. Nana, Felĉjo kaj Flavinjo subite troviĝis en la akvo, kaj la malamika grupo grimpis sur la floson.

Nun nia triopo klopodis grimpi, kaj la kvaropo ilin faligi. Nana sukcesis puŝi unu malamikon en la akvon. Sed Felĉjo kaj Flavinjo estis multe malpli grandaj ol la restaj malamikoj. Sekve, la triopo ne sukcesis grimpi, kaj la falinta malamiko denove grimpis sur la floson. Tiam niaj tri ursidoj provis renversi la floson, sed ili estis tro malfortaj por tio. Tial ili rezignis kaj komencis ŝprucumi la malŝatatan kvaropon kiom ajn ili povis.

- Tio estas nia lignaĵo, ne la via! - protestis nia triopo.

- Kial ĝuste la via? - respondis la fremdaj ursidoj. - Ni estas supre, kaj nun ĝi estas nia!

- Kiom impertinentaj vi estas! - koleris Flavinjo.

- Mi akuzos vin antaŭ Panjo! - ŝi minacis kaj samtempe provis faligi unu ursidon.

- Ha, tion mi nepre devas vidi! - provoke diris tiu ursido.

Tiam subite Flavinjo ricevis piedbaton sur la kapon. Frapis ŝin la plej eta fremda ursido. Li ne volis! Tio simple okazis mem.

Ŝi ekploris tiom forte kaj kriis: "Panjooo!", ke ŝin aŭdis almenaŭ duono da arbaraj loĝantoj. Kaj sammomente la batalo ĉesis kaj ĉiuj grimpis sur la floson. Flavinjo tuj ĉesis plori kaj forgesis pri la kapdoloro. Ŝi kontente interparolis kun la sama ursido, kontraŭ kiu ŝi fervore militis antaŭ unu minuto, kaj kiu ŝin senintence frapis. Felĉjo lude tiklis lian fraton.

Ĉiuj iomete ripozis, kaj poste komencis kune saltadi en la akvon kaj regrimpadi. La ludo estis tiom bona, ke ĉiuj malfruis ĉe la vespermanĝo.

귀염둥이 야나

우리 삼 남매는 아주-아주 먼 곳에 친척이 있었다. 나나와 페로, 플라가 듣기로는, 페로와 엇비슷한 또래의 야나 라는 친척도 그중 하나다. 그러나 그들은 아직 그녀를 만난 적은 없다. 야나 가족이 사는 숲은 대도시 가까이에 있었다. 도시에는 공장과 자동차와 굴뚝들이 많이 들어 서 있다. 그런 것들에서 만들어진 환경오염으로 인해 공기가 갈수록 나빠졌다. 또 비를 가져다주는 구름도 마찬가지로 더럽혀졌다. 그 때문에 이상한 산성비 같은 비도 자주 내렸다. 그 비가 오면, 나무들이 말라 죽기도 한다. 또 야나가 사는 숲의 수많은 짐승도 병들었다. 야나는 기침을 세게 한 적이 여러 번이고, 숨도 어렵게 내쉬었다. 그녀에겐 언제나 피로감을 빨리 느끼고, 잘 뛰지도 못하였다. 이젠 놀러 다니지도 못했다. 바깥에 놀러 갔다 오면, 야나는 기침을 했다. 그 때문에 하루 종일 목소리도 낮게 한 채 조용히 지내야 했다. 그럼에도 그녀는 기침은 더욱 잦았다. 그녀 부모는 이제 큰 걱정이 생겼다. 그들은 이 아이를 급히 깨끗한 공기를 마실 만한 곳으로 데리고 가야겠다고 결심했다. 그때 그들은 작은 숲의 우리 주인공의 친척이 생각났다. 그들은 편지를 전하는 비둘기를 통해 야나가 당분간 그곳으로 와서 머물러도 좋은지 물어보았다. 비둘기가 가져 온 대답은, 물론, “그렇게 하세요. 야나가 오는 것은 문제없어요” 였다.

그렇게 해서 야나는 긴 여행을 시작했다.

그녀 혼자 그 긴 여행을 갈 수 없기에, 아빠가 자신의 등에 야나를 태워 이동했다. 그렇게 스무날을 걸은 뒤, 기진맥진한 채 야나 부모와 야나는 친척 집 -우리 주인공인 곰 가족 집으로- 으로 오게 되었다.

우리의 삼 남매는 야냐가 오자 진심으로 기뻐했다. 곧장 그들은 자신들만 아는 잘 숨는 곳들과, 모든 놀이, 또 자신들이 잘하는 것과 장난감들을 보여주고 싶었다. 그러나 그들은 야나가 겨우 걸을 수 있을 정도이고 늘 피곤한 채 있음을 알고는 많이 놀랐다.

삼 남매는 평생 이와 비슷하게 아파하는 곰을 본 적이 없었다. 정말로 야나는 작은 숲 전체에서 가장 나이 많은 할아버지 곰인 ***그리줄로*** 님보다도 더 건강이 나빴다.

나중에 우리 삼 남매는 야나를 즐겁게 해주려고 이런저런 궁리를 했다. 그들은 그녀에게 자신들이 구한 가장 맛난 군것질거리도 가져오기도 했다. 그들은 자신들이 알고 있는 가장 유명한 이야기도 해 주고, 가장 재미난 사건도 말해 주기도 했다. 그러나 야나는 그런 일에는 아무 관심이 없고, 뭔가에도 기쁜 표정을 보이지 않았다. 그러니 마침내 우리 삼 남매는 포기하고서, 야나를 놔두고 놀러 다녔다. 야나를 홀로 이 친척 집에 맡겨둔 채 야나 부모는 다시 자신들이 사는 숲으로 돌아갔다. 그들은 불편을 끼치고 싶지 않았다. 야나가 여기 있는 것만으로도 충분히 불편하게 만드는 것임을 알고 있었다.

첫 열흘이 지나는 동안, 야나는 매일 잠만 잤다. 그녀는 좀 먹으려고 몇 번 깨는 것 외에는 계속 잠을 잤다. 그 사이 페로는 달리다가 넘어져 뼈를 삐기도 하고, 나나는 벌에 한 번 쏘였고, 플라는 무거운 덩치로 다니며 조심하지 않아, 넘어지는 바람에 이빨을 하나 부러뜨렸다. 다행히도 마침 그 부러진 이빨은 젖니라 그리 큰 걱정할 바는 아니었다.

그 뒤, 야나는 점차로 활기를 되찾아 갔다. 이젠 이전보다 훨씬 유쾌하게 생활했다. 사실대로 말하자면, 야나는 아직 우리 삼 남매와 놀지 않았다. 그러나 그녀는 대단한 관심으로 우리 삼 남매의 장난감을 흥미롭게 지켜보았다.

우리 삼 남매는 그녀에게 친절하고 세세히 자신들이 겪었던 이야기를 이렇게 물으면서 해주어야 했다:

"페로가 알을 몇 개 발견했는가?"

"그 알들은 어디에 있었느냐?"

"그 알들이 없어진 뒤, 새들은 어떻게 행동했는가?"

"그리고 지금 새끼 곰들이 알 위에 앉아 있으면, 알이 부화되는가?"

"아빠 새와 엄마 새는 둥지가 빈 걸 알고는 아주 안타까워하는가?"

"아마 그러면 그들이 알들을 돌려 줄까?"

갑자기 야나에게 그 삼 남매가 곧장 답할 수 없는 질문이 수없이 생겼다. 이제 야나의 기침도 점차 줄어들었다. 모두는 그런 그녀를 보자 아주 기뻤다. 그들은 그녀 부모에게 편지 보내는 비둘기 편으로 좋은 소식을 -말인즉, 야나가 회복되는 중- 전했다. 야나의 부모도 아주 만족하고, 행복했다.

한 달 뒤, 야나는 우리 삼 남매가 평소 드나드는 곳으로 -만일 집에서 그리 멀지만 않으면- 그들을 따라다니기 시작했다. 그러나 아직 야나는 정말 아주 느렸고, 힘도 약했다. 그녀가 좀 더 빨리 걸으면, 곧 기침했다. 그러나 그녀는 아주 행복했다. 그녀는 이전보다 훨씬 자신 있게 걸을 수 있었기 때문이다.

우리 삼 남매는 야나가 실제로는 정말 믿기지 않을 정도로 쾌활한 아이인 것을 알고는 놀랐다. 언제나 재잘대기도 잘 하고, 놀이도 참여할 준비가 되어 있었다. 이전에는 그들은 야나를 재미없고 거만한 존재로 알았었다.

"정말 우리는 바보였구나." 그들은 그런 자신의 생각에 화가 났다. 점차 야나는 회복되었다. 석 달 뒤에 야나 부모가 와 보았다. 그들은 딸을 몰라볼 정도로 그 딸은 회복이 되어 있었다. 정말 그 딸은 장난꾸러기 모습을 다시 보였고, 명랑하기는 우리 삼남매보다 더 했다. (그리고 우리 삼 남매의 어머니는 그-건-아-니-라 고 믿었다.) 야나는 아빠 엄마가 온다는 소식에 어떤 나무에 올라가, 물구나무 자세를 하고 매달려 무슨 노래를 즐겁게 부르면서 자신의 부모가 도착하기를 기다리고 있었다. 야나를 만난 가족은 그때부터 이 작은 숲에 남아, 영원히 함께 살기로 결정했다.

그 때문에 누가 더 행복해하는지는 말할 수 없습니다: 야나 일까요, 아니면 우리 삼 남매일까요?

ETULINO JANA

Nia triopo havis parencojn, kiuj vivis tre-tre malproksime. Nana, Felĉjo kaj Flavinjo jam aŭdis, ke ekzistas iu Jana, kiu aĝas pli-mapli kiom Felĉjo, sed ili neniam vidis ŝin.

La arbaro en kiu vivis Jana kun siaj parencoj troviĝis proksime al granda urbo. En tiu urbo estis multaj fabrikoj, aŭtoj kaj kamentuboj. Ĉio ĉi tre malpurigis la aeron. Ankaŭ la pluvaj nuboj estis same malpurigitaj. Tial ofte falis iu stranga acida pluvo. Pro tiu pluvo multaj arboj komencis sekiĝi. Kaj multaj bestoj en ŝia arbaro estis malsanaj. Jana forte tusis kaj malfacile spiris. Ŝi ĉiam rapide laciĝis kaj ne kapablis kuri. Neniam ŝi ludis. Ĉar post ĉiu provo ŝi komencis tusi. Tial ŝi konstante estis mallaŭta kaj trankvila. Sed, malgraŭ tio, ŝi tusis ĉiam pli ofte.

La gepatroj ege timis. Ili decidis, ke ŝi urĝe devas foriri ien, kie la aero estas pura. Tiam ili rememoris pri siaj parencoj el Eta Arbaro. Per leterkolombo ili demandis, ĉu Jana povus esti ĉe ili kelkan tempon. La respondo, kompreneble, estis "JES, ŝi venu senprobleme."

Tiel Jana komencis la longan vojaĝon. Tioman distancon ŝi ne povis mem trairi, kaj pro tio la patro portis ŝin sur la dorso la tutan tempon. Post dudek tagoj da irado, plene elĉerpitaj, Jana kaj ŝiaj gepatroj venis al la besto-hejmo de nia ursa familio.

La tri ursidoj sincere ĝojis pri la alveno de Jana, kaj tuj ili deziris al ŝi montri ĉiun kaŝitan lokon kaj ĉiun sian ludon, lertaĵon kaj petolaĵon. Sed kun konsterno ili vidis, ke Jana apenaŭ kapablas paŝi kaj ĉiam lacas. La triopo similan ursidon neniam en sia vivo vidis. Ja ŝi estis pli mallerta eĉ ol la avo Grizulo, kiu estis la plej maljuna urso en tuta Eta Arbaro!

Poste niaj ursidoj provis amuzi Janan per ĉiu ebla maniero. Ili portadis al ŝi la plej bonajn frandaĵojn, kiujn ili sukcesis trovi; ili rakontis pri siaj plej famaj kaj plej amuzaj okazaĵoj. Sed tamen ŝajnis, ke ŝin nenio interesas kaj nenio ĝojigas. Fine la ursidoj rezignis kaj foriris por ludi sen ŝi. La gepatroj de Jana adiaŭis sian filinon kaj foriris reen al sia arbaro. Ili ne volis ĝeni. Sufiĉas jam tio, ke Jana estas ĉi tie.

Dum unuaj dek tagoj Jana preskaŭ ĉiam dormis. Ŝi vekiĝis kelkfoje nur por iom manĝeti kaj denove ekdormi. En tiu tempo Felĉjo sukcesis elartikigi piedon, Nanan elpikis abeloj, kaj Flavinjo falis peze kaj pro tio perdis unu denton. Feliĉe, ĝi estis laktodento, kaj tial neniu tre ekscitiĝis.

Post tio Jana komencis esti ĉiam pli vigla. Kaj multe pli gaja. Por diri la veron, ŝi ankoraŭ ne ludis kun nia triopo, sed ŝi tre scivole kaj kun granda interesiĝo observis ties petolaĵojn.

Ili devis al ŝi ĉion elrakonti ĝis la plej eta detalo.

- Kiom da ovoj trovis Felĉjo? Kie ili estis? Kion faris la birdoj, vidinte ke ili mankas? Kaj ĉu nun la ursidoj povas sidi sur la ovoj, por ke la birdetoj tamen eliĝu? Ĉu la paĉjo birdo kaj panjo birdo estos tre malgajaj vidinte la neston malplena? Eble ili la ovojn tamen redonu?

Subite ŝi estis tiom plena de demandoj, ke simple ne eblis al ĉiu respondi. Kaj ŝi tusis ĉiam malpli. Ĉiuj tre ĝojis pro tio. Ili sendis al ŝiaj gepatroj per leterkolombo bonan novaĵon: Jana resaniĝas. La gepatroj estis feliĉegaj.

Post unu monato Jana komencis akompani nian triopon, kiam ili ne iris tre malproksimen de la hejmo. Ŝi estis ja ankoraŭ tre malrapida kaj malforta. Se iom pli rapide ŝi iris, tuj ŝi komencis tusi. Ŝi tamen estis tre feliĉa, ĉar ŝi povis marŝi multe pli bone ol antaŭe.

Nia triopo kun miro konstatis, ke Jana estas fakte nekredeble gaja ursido. Ĉiam ŝi pretis por ŝerco kaj ludo. Kaj ili pensis antaŭe, ke ŝi estas enuiga kaj orgojla!

- Vere ni estis stultaj - ili koleris pri si mem.

Iom post iom, Jana plene resaniĝis. Post tri monatoj la gepatroj ne povis ŝin rekoni. Ŝi ja estis pli petolema kaj vigla ol la membroj de nia triopo (kaj ilia patrino kredis, ke tio ne eblas)! La gepatrojn ŝi ĝisatendis pendante inverse de sur iu arbo kaj gaje muĝante iun kanton. Ili tiam decidis resti por ĉiam en Eta Arbaro.

Mi ne povas diri al vi, kiu estis pro tio pli feliĉa: Jana aŭ nia triopo.

보물을 숨겨라

여름은 이제 점점 끝으로 가고 있었다. 해는 더위를 여전히 힘껏 쏟아내니, 마치 해가 얼마나 더 힘이 센지 보여주려는 것 같았다. 아빠 곰과 엄마 곰은 점심을 충분히 먹고는 낮잠을 주무신다.

자신의 집보다 우리 삼 남매 집인 이곳에서 지내는 기간이 더 늘어난 야나도 이제 우리 삼 남매와 합세하여 잘 지내고 있다. 그런데도 새끼 곰들은 다시 지루해졌다. 그들은 주무시는 분들을 깨우지 않으려면 조용히 지내야 했다. 그러나 이 삼 남매에겐 조용히 있다는 것은 벌보다 더 심한 벌이라 할 수 있다. 그들은 뭔가 놀이를 하며 지내고 싶어도 뭘 할지 몰랐다.

그때 그들은 이웃 아줌마 다람쥐가 떡갈나무에 나 있는 구멍 속으로 도토리들을 가져가는 것을 알게 되었다. 그녀는 겨울을 지낼 양식을 모으고 있었다. 새끼 곰들은 그런 모습을 유심히 지켜보았다. 그때 플라가 뭔가 생각해 냈다.

"우리 바깥에서 놀자, 엄마 아빠도 편하게 주무실 거야." 그녀는 아주 자신있게 말했다.

"오, 정말 멋진 생각이야! 우리도 그건 알지." 나나와 페로도 말했다.

"그런데, 뭐 하며 놀래?" 그들은 동시에 말했다.

"우리 중에 누가 도토리를 숨기면, 다른 곰들은 그것을 찾기로 해. 하지만 숨기는 쪽에선 도토리를 어디

숨겨 두었는지 표식은 해 두어야 해.” 플라가 진지하게 말했다.

“나쁘진 않네.” 야나가 말했다.

“아주 좋은 생각.” 나나가 막내를 칭찬해 주었다.

그런 말을 들으니, 플라는 마치 자신이 적어도 이 센티미터는 더 자란듯이 우쭐했다.

그 표식할 때, 그게 너무 간단하진 않아야 한다는 것이 그들의 의논이었다. 그 표식은 화살 모양, 십자 모양, 돌 모양 같은 것이면 가능하다고 했다. 처음에는 그 “보물”을 나나가 숨기고, 플라와 페로와 야나가 이를 찾아내야 했다. 나나는 아주 열심히 보물을 숨겼다. 그녀는 도토리를 세 곳에 숨겼다. 그리고 나중에 그녀는 표식을 해 두었다.

그러나 그 표식들은 너무 이해하기 어려웠다. 야나는 그만 포기하고 어느 나무 아래 누워 버렸다. 그러면서 그녀는 페로와 플라가 빙빙 돌면서도 도토리를 찾지 못하는 모습을 즐거운 표정으로 바라보고 있었다. 근처에 다른 세 마리의 곰이 더 살고 있었다. 그들도 지루하기는 마찬가지인가 보다. 그래서 그들도 페로와 플라가 하는 놀이에 끼어 들었다.

그렇게 해서 다섯 마리의 새끼 곰이 온 숲을 미친듯이 배회하였다. 야나는 한번은 이쪽, 다음에는 저쪽을 보며 즐겁게 시간을 보내고 있었다. 왜냐하면 다른 곰들이 땅 위에 놓인 표식의 위치를 찾느라 돌아다니기에 자신이 지금 어디로 가는지도 모를 정도였다. 그래서 나중에는 그들은 서로 부딪히기도 하였고, 서로 밀치기도 하였다. 또 누군가는 어느 구덩이에 빠지기도 했다. 모든 새끼 곰은 자신이 제대로 표식을 따라온 것으로 믿었지만, 다른 이들은 그 길을 모를 것으로 생각했다. 따라서 각자 다른 곳에서 찾아다녔다. 그리고 아무도 그 위치를 찾지 못했다.

그들이 그렇게 찾아다니다 보니, 아줌마 다람쥐가 숨겨놓은 도토리의 절반 정도를 찾아냈다. 하지만 나나가 꼭꼭 숨겨놓은 도토리는 한 개도 찾지 못했다. 이 모든 상황을 자신이 사는 나무 구멍에서 보고 있던 아줌마 다람쥐가 도저히 이 상황을 참지 못하고서 씩씩거리며 화를 냈다. 그래서 그녀는 우리 삼 남매의 어머니를 찾아 가 자신의 처지를 말했다:

"댁의 자식들이 제가 숨겨놓은 겨울 양식들을 모두 파내 버렸어요. 제가 그걸 구하느라 얼마나 애를 썼는지 모를 겁니다!"

"그들이 오면 제가 잘 타일러 보겠습니다!" 엄마 곰도 화가 났다.

엄마는 화를 내며, 포효하여, 그들이 놀이하는 곳으로 왔다. 엄마를 본 새끼 곰들은 곧 뭔가 그들이 잘못했구나 하고 알아차렸다. '그런데 뭘 잘못했지?' 아줌마 다람쥐는 급히 그들에게 달려와, 왜 엄마가 화를 내시는지 그들에게 설명해 주였다.

"너희가 찾아낸 건 내 소유의 도토리란다." 아줌마 다람쥐는 여전히 숨을 크게 내쉬며 말했다.

곰돌이들은 곧 자신이 저지른 일에 대해 변명을 했다.

"용서해 주세요. 다람쥐 아줌마, 그게 아줌마의 것

인줄 몰랐습니다. 저희는 보물찾기 놀이를 했어요!"

곧 그들은 자신이 가지고 놀던 도토리들을 아줌마 다람쥐에게 돌려주었다. 또 그들은 갖고 있는 몇 개를 더하여 아줌마에게 주었다. 아줌마 다람쥐는 곧 표정을 포근하게 바꿔었다. 이제 엄마 곰에게도 그녀는 차분하게 말했다.

"재들에게 화내지 마세요. 재들도 잘못 알고 그랬답니다. 재들은 가지고 놀던 도토리를 모두 돌려주었답니다."

그 날부터 나나, 페로, 플라는 때때로 겨울 준비를 하는 아줌마 다람쥐를 도와야 했다. (야나는 겨울 준비가 놀이가 아니라 힘든 일이라며, 그 힘든 일은 가능한 한 하지 않으려고 했다.)

삼 남매는 한동안 즐겁게 잘 지냈다.

또 더 나은 것은 아무도 그 일로 그들을 야단하지 않았다.

정반대로 모두 그들을 착하고 예의가 바르다고 칭찬했다.

KAŜU LA TREZORON

La somero estis proksima al sia fino, sed la suno ankoraŭ donis la varmon plenforte, kvazaŭ dezirante montri, kiom forta ĝi kapablas esti. Paĉjo kaj Panjo ursoj dormis post abunda tagmanĝo.

Kun la triopo estis ankaŭ Jana, kiu cetere pli da tempo pasigis en ilia hejmo, ol en la propra. La ursidoj denove enuis. Ili devis esti trankvilaj, por ne veki la dormantojn. Kaj por niaj ursidoj ne ekzistas pli severa puno, ol devi esti trankvilaj. Ili deziris ion ludi, sed ne sciis kion.

Tiam ili rimarkis najbarinon sciuron, kiu estis metanta glanojn en iun truon en kverko. Ŝi kolektadis rezervojn por vintro. La ursidoj observis ŝin atente. Tiam Flavinjo ion elpensis:

- Ni ludos ekstere kaj ne ĝenos la gepatrojn - ŝi diris tre fiere.

- Ho, kia glorega ideo! Ankaŭ ni tion scias - diris Nana kaj Felĉjo.

- Sed kion ni ludos? - demandis ili.

- Unu el ni kaŝos glanojn, kaj la aliaj ilin serĉos. Sed tiu kaŝanto devas meti signojn por montri, kie trovi la glanojn - klarigis Flavinjo serioze.

- Ne malbone - diris Jana.

- Tre bona ideo - laŭdis ŝin Nana.

Post tiuj vortoj Flavinjo pro fiero kvazaŭ kreskis almenaŭ du centimetrojn.

Ili konsentis, ke la signoj devas esti ne tro simplaj. Tiuj estu sagetoj, krucoj, ŝtonetoj aŭ io simila. Por komenco, la "trezoron" kaŝos Nana, kaj Flavinjo, Felĉjo kaj Jana serĉos ĝin. Nana faris tion tre fervore. La glanojn ŝi metis en tri diversajn lokojn. Kaj poste ŝi metis signojn.

Sed la signoj estis malfacile kompreneblaj. Jana rezignis kaj kuŝigis sin sub iun arbon. Kun plezuro ŝi rigardis, kiel Felĉjo kaj Flavinjo erare vagas en cirkloj. En la proksimo loĝis pluraj tri ursidoj. Ankaŭ ili enuis, kaj tial ili aliĝis al Felĉjo kaj Flavinjo.

Tiel do kvin ursidoj krozis tra la arbaro kvazaŭ frenezuloj, kaj Jana favoris jen unu, jen la alian. Ĉar ili atentis nur signojn sur la tero, kaj tute ne sian iradon, ili ofte kunfrapiĝis, puŝis sin reciproke, aŭ enfalis en iun truon. Ĉiu ursido kredis, ke ĝuste li (aŭ ŝi) bone sekvas la signojn, kaj ke la ceteraj scias nenion. Sekve, ĉiu serĉis aliloke. Kaj neniu pravis.

Tiel serĉante, ili trovis duonon de la rezervoj de la sciurino, sed neniun glanon kaŝitan de Nana. La sciurino, kiu ĉion rigardis el sia arbotruo, estis senespera kaj tre kolera. Ŝi iris al la patrino de nia triopo kaj plendis:

- Viaj ursidoj elfosas miajn glan-rezervojn por la vintro. Kaj mi ege penis por kolekti tion!

- Tuj ili aŭdos min! - koleris la ursino.

Panjo alvenis kun kolera muĝado. Vidinte ŝin, la ursidoj tuj komprenis, ke ion ili faris mise. Sed kion? La sciurino alsaltis rapide kaj klarigis al ili, kial Panjo koleras.

- Tio estas miaj glanoj - diris ŝi, ankoraŭ spirege.

La ursidoj tuj senkulpigis sin.

- Pardonu, ni petas, najbarino sciuro. Ni ne sciis, ke ili estas viaj. Ni nur ludis serĉadon de trezoro!

Tuj ili redonis la glanojn. Kaj kelkajn proprajn ili aldonis. La sciurino tuj fariĝis bonhumora. Eĉ Panjon ursinon ŝi trankviligis dirinte:

- Ne koleru kontraŭ ili. Nenion malbonan ili volis fari. Cetere, ĉiujn glanojn ili redonis.

Ekde tiu tago Nana, Felĉjo kaj Flavinjo de tempo al tempo helpadis al la najbarino sciuro en preparado por vintro. (Jana opiniis, ke preparado por vintro ne estas ludo, sed laboro, kaj tial ŝi la aferon pli-malpli evitis.)

La triopo dum tio bone amuzis sin. Kaj, eĉ pli bone, neniu riproĉis ilin pri tio. Eĉ male, ĉiuj diris laŭde, ke ili estas bonaj kaj decaj.

나나가 자기 생일을 축하하다

"제가 제 생일을 축하하고 싶어요." 나나는 두 시간마다, 그것도 삼일 동안 연거푸 말했다. "지금까지 한 번도 제 생일을 축하해 본 적 없어요. 그리고 그게 어떤 모습인지 정말 보고 싶기도 하구요!"

"그런데, 나나, 우리가 네 생일을 어떻게 축하하니? 우리가 겨울잠 잘 때 넌 태어났거든!" 엄마는 말했다.

"우리가 가을이 오는 첫날 생일잔치를 열면 되지요. 그때 아무도 아직 겨울잠을 자러 가지 않으니까요. 제 친구들 모두 초대하고 싶어요."

엄마가 동의하자, 나나는 너무 행복해하며 집 안에서 춤도 추고 노래도 불렀다. 그리고 나나는 자기 몫의 배를 플라가 먹어 버렸는데도 화내지 않았다. 그만큼 기분이 좋아진 나나는 잔치가 있을 때마다 그 행사를 망치기 일쑤이지만 귀여운 녀석인 리나까지도 초대할 생각을 하고 있었다. 하지만 엄마는 그건 좋은 생각이 아니구나 하고 현명하게 설득했다.

그러나 문제는 다른 곳에서 생겼다. 나나가 작성한 초청자 명단에는 서른다섯 마리의 새끼 곰이 들어 있었다. 엄마 아빠는 그 수효가 너무 많다고 말씀하셨다. 나중에 가족은 참석 대상자들 하나하나를 점검하면서, 마침내 그 수효가 스물로 줄어들었다.

"그래도 그건 너무 적은 숫자예요!" 나나는 한숨을 내쉬었다.

“친구들이 초청받지 못해 마음 상했다고 할 수 있어요.”

“그걸 너무 적은 숫자라니! 그것도 아주 많아!” 엄마는 양보하지 않았다.

그래서 그 스물이라는 숫자는 그대로 남겨 두기로 했다.

그 뒤, 생일잔치 준비가 시작되었다. 아빠는 먹거리를 바깥에서 찾고, 집안에는 엄마와, 우리 삼 남매만 남게 되었다. 나나, 페로, 플라는 생일행사 때 할 일을 나눠서 하기를 결정하고는 엄마에게 말했다. “생일 행사를 즐기는 일은 저희가 할 테니, 행사를 준비하고 또 나중에 정리하는 일은 엄마가 다 해 주셨으면 해요!”. 안타깝지만 엄마는 행사를 준비하는 역할 분담 의견에 동의하지 않으셨다.

“플라는 장난감을 모두 제자리에 두어야 한다. 나나는 집 안 청소하고, 페로는 부엌에서 나를 도와야 한다!” 그렇게 엄마 곰은 명령했다.

15분 뒤, 장난감들은 제자리에 놓인 것 같았다. 사실 그것들을 구석으로 모아 두는 것이 전부였다. 먼지는 다른 한 곳으로 밀쳐 두기만 했다. 페로와 함께 부엌에서 일하시던 엄마는 엄마 혼자 -페로의 도움 없이- 일하면 더 빨리 일을 마칠 수 있겠다고 결론을 내렸다. 그래서 페로도 자신이 할 일을 마쳤다.

삼 남매는 행복하게 밖에 놀러 뛰쳐나갔고, 혼자 남은 엄마는 조용히 자신이 해야 할 일을 계속하고 있었다. 곧 아빠가 두 손에 아름다운 배와 사과를 가득 안고 들어 왔다. 귀여운 녀석들은 곧 그것들을 먹어 보려고 했으나, 다시 엄마는 엄하게 야단했다. "잔치 때까지는 한 개도 손대지 말 것! 너희들도 좀 참을성을 길러야 한다."

그것은 특별히 플라에겐 힘들었다. 그녀 생각은 계속 가장 큰 배 하나에 가 있었다. 이미 그녀는 저 배는 내 거라고 결정해 두었다.

오후에 손님들이 들어서기 시작했다. 손님이라기보다는 가족의 일원이라는 표현이 맞은 야나는 예정 시각보다 한 시간 먼저 왔다. 만일 야나 어머니가 허락했더라면, 야나는 더 일찍 올 수 있었을 것이다. 이제 모두 네 마리의 새끼 곰이 나나 친구들을 맞이하기 시작했다.

생일 행사에 참석한 모든 새끼 곰은 선물을 가져 왔다. 오, 저기에 보이는 것은 무엇인가! 배, 사과, 개암 열매, 열매, 버섯들이다. 나나는 이미 자신의 입술을 핥고 있었다. 그리고 페로와 플라도 마찬가지다! 야나의 생각도 몰래 저 풍성한 아름다운 먹거리에 가 있었다.

새끼 곰들이 모두 모이자, 그들은 크게 만들어 놓은 꿀 파이를 먹어치우고, 즙도 다 마셔 버렸다. 서툰이라는 이름의 새끼 곰은 즙을 마시다 그만 쏟아 버렸고, 플라도 그만 꿀 파이 조각을 먹다 바닥으로 떨어뜨렸다. 아빠는 바닥에 꿀 파이 조각이 떨어진 줄 모르고 걷다가 그만 그 조각을 밟아버렸다. 그 바람에 아빠가 미끄러지면서 아빠 코가 그 파이에 곧장 부딪

혔다. 불쌍한 아빠가 다시 자리에서 일어났을 때, 얼굴은 온통 파이로 덧칠이 되어 있었다. 새끼 곰들은 10분 동안 웃음을 멈출 수 없었다. 다시 그들이 나나 아빠의 눈길과 마주치자, 또 웃음을 다시 터뜨렸다. 그래서 곧 아빠는 자신의 얼굴을 씻었다. 그러자, 아빠는 다시 말끔한 모습이었다. 그들은 그렇게 세게 웃는 바람에 거의 숨을 못 쉴 정도였다.

마침내 아무도 서로 쳐다보려고 하지 않았다. 그들이 다시 서로를 보기 시작하자, 다시 세찬 웃음이 나와, 땅에서 구르기까지 하였고 눈물이 눈에서 흘러내릴 정도였다. 그것을 진정시키기 위해, 아빠는 그들에겐 이젠 무슨 놀이라도 하면서 지내기를 제안했다.

"우리 술래잡기하자!" 페로가 제안했다.

"좋은 생각이야! 나도 그건 좋아해!" 사방에서 그 소리가 들려왔다. 엄마만 별 흥미가 없었다.

새끼 곰들은 이제 술래잡기 놀이를 시작했다. 그들 각자는 가장 관심이 적게 갈 만한 곳을 골라 몸을 숨겼다. 어느 한 곰돌이는 찰흙 항아리 안에 숨으려고 했다(그런데 항아리의 입구가 곰돌이의 머리가 겨우 들어갈 정도로 좁은 데도 불구하고). 그는 자신을 너무 세게 밀어 넣는 바람에 나중에 다른 세 마리의 어린 곰이 그를 당겨야만 그곳에서 제대로 빠져나올 수 있었다. 더구나 집 안이 온통 일대 소란이 일었다. 엄마는 어쩔 수 없다는 듯이 고개만 절레절레 흔들었다. 그런 아이들을 좀 진정시키려고 엄마는 신선한 배를 여럿 내어 주었다. (플라는 자신이 노리고 있던 그 배를 차지하는데 성공했다!) 그러나 겨우 3분 동안은 진짜 조용했지만, 나중에 모든 것은 되풀이되었다. 스물 두 마리 새끼 곰이 10kg의 배를 먹어치우는데 걸린 시간은 겨우 3분 걸렸다!

그들이 술래잡기 놀이에 그만 지루해지자, 그들은 "달려라 - 잡아라- " 하는 놀이를 했다. 그때는 정말 집안이 엉망이 되어 버렸다! 서툰이라는 이름의 새끼 곰은 달리다가 꿀이 담긴 항아리를 엎어 버렸다. 그 항아리가 산산조각으로 부서져 꿀이 온 바닥에 쏟아졌다. 이제 아빠 머리가 다시 아프기 시작했다. 엄마는 한숨만 크게 쉴 뿐이었다. 행사 참석자 중 먼저 몇 무리의 새끼 곰들이 집으로 돌아가자, 엄마 아빠는 둘 다 다소 행복했다. 그러나 우리 삼 남매는 정반대였다.

모두 가고 난 뒤(마지막까지 남은 이는 야나 였다), 다음과 같은 사실을 발견했다.

1. 다섯 번이나 즙이 식탁에서 쏟아졌다.

2. 과자가 세 번이나 바닥으로 떨어졌다.

3. 꿀 항아리 한 개가 깨졌다.

4. 집 안은 짓이겨진 과일과 과일즙으로 가득 찼다.

5. 바닥은 꿀로 범벅이 되어 있었다.(그때문에 페로가 또 한 번 미끄러졌는데, 그 모습은 전문 발레리노의 공연 같아 보였다.)

6. 장난감 몇 개는 사라지고 없다. (필시 이것은 집안을 체계적으로 정리하고 나면 나올 것이다.)

7. 어느 물건도 제자리에 있지 않았다.

곰 가족은 자신의 뒤치다꺼리를 내일까지 마치기로

하고 피곤하여 잠자러 갔다. 잠들기 전에 나나는 홀린 듯이 말했다:

“정말 멋져, 오늘이 얼마나 아름답고 유쾌한 날이었던가! 내 생일을 일 년에 서너 번 할 수 없는 것이 정말 아쉬워!”

아빠는 아무 말씀도 하지 않으셨다. 아빠는 공포감으로 자신의 머리를 잡을 뿐이다.

NANA FESTAS NASKIĜTAGON

Mi deziras festi mian naskiĝtagon - ripetadis Nana preskaŭ ĉiujn du horojn kaj tri tagojn sinsekve. - Neniam ĝis nun mi festis ĝin. Kaj mi ege ŝatus vidi, kiel tio aspektas!

- Sed, Nana, kiel ni festu vian naskiĝtagon? Vi ja naskiĝis dum la tempo de vintra dormado! - diris Panjo.

- Ni festu ĝin en la unua tago de la aŭtuno. Tiam ankoraŭ neniu dormas kaj mi povas inviti ĉiujn miajn geamikojn.

Panjo konsentis kaj Nana estis tiom feliĉa, ke ŝi dancis kaj kantis tra la tuta hejmo. Kaj ŝi eĉ ne koleris, kiam Flavinjo formanĝis ŝian piron. Tiom bonhumora ŝi estis, ke ŝi pretis inviti al la festo eĉ Linan, tiun katastrofan kaj dorlotitan knabinon. Tamen Panjo saĝe konkludis, ke tio estas ideo ne tre bona.

Sed baldaŭ aperis problemoj. La listo de invitotoj, kiun faris Nana, entenis tridek kvin ursidojn. La gepatroj opiniis tion troa. Poste pri ĉiu ursido oni longe traktadis, kaj finfine la nombro falis al dudek.

- Sed ili estas tro malmultaj! - suspiris Nana. - Miaj geamikoj povus ofendiĝi.

- Ja kiel malmultaj! Tio estas pli ol tro! - ne cedis Panjo.

Kaj dudek restis la fina nombro.

Post tio komenciĝis preparlaboroj por la festo. Paĉjo estis ekstere serĉanta manĝaĵon, kaj sekve en la hejmo restis nur Panjo kaj nia triopo. Nana, Felĉjo kaj Flavinjo decidis dividi la naskiĝtagan laboron. Ili ĝin festos, kaj Panjo ĝin preparos kaj poste ĉion ordigos. Bedaŭrinde, Panjo ne konsentis kun tia divido de taskoj.

- Flavinjo, vi metos la ludilojn al la ĝusta loko, Nana purigos la hejmon kaj Felĉjo helpos al mi en la kuirejo! - ordonadis Panjo ursino.

Post dek kvin minutoj la ludiloj estis ŝajne metitaj en la ĝustan lokon. Fakte ili estis nur puŝitaj en unu angulon. La polvo estis puŝita en iun alian. En la kuirejo Panjo konvinkiĝis, ke ŝi sola, sen Felĉjo, faros ĉion multe pli rapide. Tiel do ankaŭ Felĉjo finis sian laboron.

La triopo feliĉe kuris eksteren por ludi, kaj Panjo en trankvilo daŭrigis labori sola. Baldaŭ revenis Paĉjo kun manoj plenaj de belegaj piroj kaj pomoj. La etuloj tuj deziris ilin provi, sed denove Panjo severe diris: - Nenio ĝis la festo! Vi devas iom pacienci.

Tio aparte malfacile trafis Flavinjon. Ŝi konstante rigardis la plej grandan piron. Jam ŝi decidis, ke ĝi apartenos al ŝi.

Posttagmeze komencis venadi la gastoj. Jana, kiu sin konsideris pli familiano ol gasto, venis plenan horon antaŭtempe. Eĉ pli frue ŝi alvenus, se ŝia patrino estus permesinta. Nun do ĉiuj kvar akceptadis la geamikojn de Nana.

Ĉiu ursido alportis donacon. Ho, kio estis tie trovebla! Piroj, pomoj, aveloj, beroj, fungoj. Nana jam senpacience lekis siajn lipojn. Kaj Felĉjo kaj Flavinjo same! Ankaŭ Jana kaŝe rigardadis tiun abundan belaĵon!

Kiam ĉiuj ursidoj kolektiĝis, ili formanĝis grandan torton el mielo kaj trinkis sukojn. Nur la ursido Mallertuĉjo elverŝis la sukon, kaj Flavinjo faligis pecon de torto al la planko. Paĉjo ne rimarkis tiun pecon, kaj tretis sur ĝin. Li deglitis kaj falis rekte per sia nazo en la torton. Povra Paĉjo, kiam li ekstaris, li estis ŝmirita sur la tuta vizaĝo. La ursidoj ne povis ĉesi ridi dum dek minutoj. Kaj ĉiam denove ili eksplode ridis, kiam ili direktis la rigardon al Paĉjo, kvankam tiu jam laviĝis kaj brilis pro pureco. Tiom ili ridis, ke apenaŭ ili povis spiri.

Finfine neniu plu kuraĝis rigardi iun alian.

Tuj kiam ili ekvidis unu la alian, ili rekomencis ridi tiom forte, ke ili ruliĝis sur la grundo, kaj larmoj fluis el iliaj okuloj. Por ilin pacigi, Paĉjo proponis, ke ili ion ludu.

- Ni ludu kaŝludon! - aŭdigis Felĉjo.

- Bona ideo!... Mi ŝatas ĝin! - sonis de ĉiu flanko. Nur Panjo ne havis grandan entuziasmon.

La ursidoj ekludis. Ili kaŝis sin en la plej neatenditajn lokojn. Unu ursido provis sin kaŝi en argilan poton (kun mallarĝa truo). Li tiom enpremis sin, ke poste tri aliaj ursidoj apenaŭ povis eltiri lin. Cetere en la hejmo regis ĝenerala tumulto. Panjo nur senpove svingis la kapon. Por pacigi la infanojn, ŝi ofertis al ili freŝajn pirojn. (Flavinjo sukcesis kapti sian piron!) Dum tri minutoj vere regis silento, sed tuj poste ĉio ripetiĝis. Ĉar tiom da tempo necesas kaj sufiĉas, por ke dudek du ursidoj formanĝu dek kilogramojn da piroj!

Kiam la kaŝludo ilin tedis, ili komencis kuru-kaptu-ludon. Kaj nur tiam ekestis la vera malordo! Mallertuĉjo renversis poton kun mielo. La poto dispeciĝis en mil pecojn, kaj la mielo disfluis sur la tuta planko. Sekve Paĉjon komencis dolori la kapo. Kaj Panjo nur spiregis. Ambaŭ estis feliĉaj, kiam unuaj ursidoj komencis iri hejmen. Male al nia triopo.

Post kiam ĉiuj foriris (kaj la lasta estis Jana), oni konstatis jenajn faktojn:

1. kvin-foje la suko estis verŝita sur la tablon
2. tri-foje falis la kuko sur la plankon
3. unu mielo-poto estas frakasita
4. la hejmo plenplenas de kneditaj fruktoj kaj ties suko
5. la tuta planko estas gluiga pro mielo (pro tio Felĉjo deglitis kaj faris profesian baletan figuron)
6. kelkaj ludiloj mankas (certe ili retroviĝos post plena kaj sistema ordigo de la hejmo)
7. neniu objekto estas en la ĝusta loko

La ursoj lasis sian laborkampanjon por morgaŭ kaj lacegaj iris dormi. Kaj antaŭ ol endormiĝi, Nana diris ravite:

Muĝĝĝ, kiom bele kaj gaje estis hodiaŭ! Kiel domaĝe, ke mi ne festas mian naskiĝtagon almenaŭ tri-kvarfoje jare!

Paĉjo diris nenion. Li nur pro teruro kaptis sian kapon.

곰학교

가을이 시작되자 곰의 학교도 열렸다. 그것은 사람들이 다니는 학교와 같지 않지만, 곰의 학교에서도 곰들은 진지하게 배운다. 그리고 아주 나이 어린 곰들은 이 학교에 입학할 수 없다. 그 때문에 페로와 플라는 학교에 갈 수 없다. 나나는 올해 1학년에 들어가 공부해야 한다. 그런데 이미 나나는 조금 두렵기도 하다.

'만일 곰들이 그녀를 심하게 괴롭히면 어쩌나? 만일 곰들이 그녀의 털을 자르는 경우가 생기면 어쩌나? 그녀가 갖고 간 가장 맛난 먹거리를 누가 먹어버리면 어쩌나?' 그렇다고 나나가 이를 누구에게 말하지 않을 것이다......'

그녀는 자신에게조차 그런 이야기를 하지 않을 것이다. 그래도, 그녀의 마음 깊숙이에는 작은 두려움이 천천히 자라고, 또 자라고, 여전히 점점 더 자라, 자리를 잡고 있다.

곰의 학교에서는 책이나 공책, 가방을 살 필요도 없다. 그저 사과 1개, 배 2개, 밤 3개, 개암 열매 4개, 또 딸기 5개만 가져가면 된다. 그것을 이용해 곰 학생들은 수학과 생물을 배운다. 다른 교과목은 필요하지 않다.

나나가 학교에 처음 등교하는 날 아침, 배가 심하게 아팠다.

"엄마, 배가 아주 메스꺼운 것 같아요. 정말 토할

것 같아요. 머리도 어지럽구요! 넘어질 것 같아요. 집에 쉬면서 치료받는 것이 가장 나을 것 같아요.” 나나는 엄마에게 자신의 지금 몸 상태를 말했다.

“별 것 아니야. 학교에 가는 첫날이라 아주 예민해져 있구나. 학교에 가보면, 모든 것은 사라질 거야. 엄마가 처음 등교하던 때가 생각나네. 그때도 엄마는 그게 두려워, 메스꺼움을 느꼈단다. 이제 네 발을 한 번 움직여 봐. 용기도 내구. 어서!” 엄마가 딸에게 설명해 주었다.

나나는 중병에 걸린 환자처럼 침대에서 일어났다. 그녀 얼굴은 평소와는 달리 회색이고-회색이다. 나나의 집 문 앞에서 나나를 기다려 주고 있던 암곰 마샤를 보자, 나나는 메스꺼움이 조금 약해졌다. 나나는 좀 웃음을 보였지만, 머리가 어지러운 것은 쉽사리 가시지 않았다. 그녀는 학교로 들고 가기 위해 준비해 둔 과일들을 겨우 집어 들었다. (어제 그녀는 어느 배는 가져가고 어느 사과는 가져가고, 어느 것은 두고 갈지 고르느라고 한 시간 이상이나 허비했다.) 이제 나나는 식구들에게 다녀오겠다고 작별 인사를 하였는데, 마치 어느 위험한 싸움터로 떠나는 모습을 한 채, 이젠 살아 돌아오지 못할 것 같은 표정이었다. 그리고는 두 마리의 어린 곰 학생은 학교를 향해 길을 나섰다.

유쾌하게 걸어가는 마샤 와는 달리 나나는 겨우 이런 말을 할 정도였다: “그래,...아니,...아마도,...나는 모르겠어......”

학교가 열린 곳은 지난날 나나와 페로, 플라가 한때

연주회를 열었던 곳으로 나무가 없는 공터였다. 학교 가는 길에서 학생들은 더욱 늘어났다. 좀 더 나이가 많은 어린 곰들은 유쾌하게 서로 인사를 나누었지만 처음 등교하는 이들은 아주 조심스러웠다.

그 나무가 없는 공터에는 나이 드신 ***우르술라*** 라는 여선생님이 기다리고 계셨다. 그 선생님은 첫 등교하는 1학년 학생들을 맡았다. 더 나이 많은 학생들은 엄하다고 소문난 ***브루노*** 선생님이 맡았다.

나나의 담임인 여선생님은 1학년 학생들을 여러 번 지도하신 경험이 있다. 그 여선생님은 아동들이 겁이 많고, 걱정을 많이 하고 있음을 잘 안다. 그 때문에 그들은 첫날에 온종일 곰들이 하는 이런저런 놀이를 하며 시간을 보냈다. 가장 나나의 마음에 든 놀이는 "꿀벌아, 꿀벌아, 나에게 꿀을 다오" 라는 놀이였다. 그리고 아동들이 피곤하게 되었고, 이제 그들은 자신들이 가져온 먹거리를 먹어치웠다.

그들은 먹으면서 아주 재미난 방식으로 수학의 뺄셈을 배웠다. 그들은 먹기 전에 반드시 자신이 가진 과일들의 갯수를 헤아려야 했다. 그러면서 그들은 셈을 배운다.

나나는 이제 집으로 돌아왔다. 그런데 수업이 아주 맘에 들었다. 나나는 자신이 학교에 가기 전에는 심한 병에 걸렸다는 것도 완전히 잊어버렸다. 그리고 다음날 아침 학교 갈 시간이 기다려지고, 어서 내일이 왔으면 하고 그녀는 생각하고 있었다.

LA URSA LERNEJO

Kiam komenciĝas la aŭtuno, komenciĝas ankaŭ la ursa lernejo. Ĝi ne estas sama, kiel la homa lernejo, sed ankaŭ en ĝi oni lernas serioze. Kaj ankaŭ al ĝi ne povas iri tre junaj ursidoj. Tial Felĉjo kaj Flavinjo ne frekventas lernejon. Nana devas ĉi-jare studi en la unua klaso. Kaj jam ŝi iomete timas. Kvankam tion ŝi neniam konfesus, eĉ se oni ŝin plej forte turmentus, se oni ŝirus ŝian felon, aŭ la plej karan manĝon ŝian formanĝus.

Eĉ al si mem ŝi tion ne konfesus. Sed profunde en ŝia koro sidas eta timo, kiu malrapide kreskas kaj kreskas, kaj ĉiam pli kaj pli grandiĝas.

Por la ursa lernejo oni devas aĉeti nek librojn, nek kajerojn, nek sakon. Oni nur devas alporti unu pomon, du pirojn, tri nuksojn, kvar avelojn kaj kvin berojn. Per tio ursidoj lernas matematikon kaj biologion, kaj la ceterajn fakojn ili ne bezonas.

Tiun matenon, kiam ŝi devis la unuan fojon iri al la lernejo, Nana havis fortajn ventrodolorojn.

Panjo, mi sentas teruran naŭzon. Certe mi

vomos. Kaj la kapturniĝo! Kvazaŭ mi falus. Mi kredas, ke plej bone estos, se mi restos hejme kaj kuraciĝos - plendis Nana al Panjo.

Tio estas nenio. Vi estas nur tre ekscitita pro la unua lernotago. Ĉio forpasos, kiam vi venos en la lernejon. Mi ja memoras, ke ankaŭ mi la unuan tagon timis kaj sentis naŭzon. Do, movu viajn piedegojn, kaj kuraĝe, ek! - klarigis al ŝi Panjo.

Nana ellitiĝis kvazaŭ grave malsana. Ŝia vizaĝo estis grize-griza. La naŭzo iom malfortiĝis, kiam ŝi vidis sian amikinon Maŝa-n, kiu jam atendis ŝin antaŭ la pordo. Nana eĉ sukcesis iom rideti, sed la kapturniĝo ne pasis. Ŝi prenis siajn zorge preparitajn fruktojn. (Hieraŭ ŝi plenan horon decidadis, kiun piron kaj pomon ŝi kunportos, kaj kiun ne.) Tiam ŝi forsalutis la familion, kvazaŭ ŝi irus al iu danĝera batalo kaj kvazaŭ ne sciante, ĉu ŝi revenos viva. Kaj ambaŭ ursinetoj sin direktis al la lernejo.

Kvankam Maŝa dum la tuta irado gaje babilis, Nana apenaŭ sukcesis eldiri iun: "Jes, ..., ne, ... eble, ... mi ne scias...".

Por la instruado estis destinita la sama senarba loko, kie Nana, Felĉjo kaj Flavinjo iam faris la koncerton. Survoje al la lernejo, la lernanta grupeto iĝis ĉiam pli granda. Iom pli aĝaj ursidoj gaje salutadis unu la alian, sed la komencantoj aspektis tre zorgantaj.

Sur la senarbejo atendis la ursidojn la maljuna instruistino Ursula. Ŝi zorgis pri unuaklasanoj. Pli aĝaj ursidoj iris al la severa sinjoro Bruno.

La instruistino de Nana jam multfoje akceptis unuaklasanojn. Ŝi bone sciis, ke ili estas timigitaj kaj zorgantaj. Pro tio ili la tutan unuan tagon nur ludis ĉiaspecajn ursajn ludojn. Al Nana pleje plaĉis "Abeleto, abeleto, donu la mielon". Kaj, kiam ili laciĝis, ili formanĝis la kunportitajn fruktojn.

Ili manĝis kaj tiel lernis la subtrahadon per tre agrabla maniero. Kaj antaŭ la manĝo ili devis nombri la fruktojn. Tiel ili lernis ankaŭ la nombradon.

Nana revenis hejmen plene ravita. Ŝi tute forgesis, ke ŝi estis grave malsana. Kaj apenaŭ ŝi kapablis atendi la sekvan matenon, kiam ŝi denove iros al la lernejo.

숙제

나나는 집에서는 말괄량이처럼 들뜬 기분으로 활발하며 크게 소리 질러도, 학교에서는 침착하고 대답도 썩 잘하고 조용한 편이다. 엄마는 나나가 완전히 달라졌다고 한다. 나나는 학교를 아주 좋아하며 정말 착한 학생이 되었다. ***우르술라*** 선생님은 언제나 나나를 칭찬했다.

새끼 곰들도 학교에서도 평가를 받지만, 그 방식은 다르다. 학생들에게 가장 좋은 점수는 "꿀벌"이고, 다음의 좋은 점수는 "배"다, 그리고 "사과", "자두"의 순서다. 가장 나쁜 것은 "도토리" 였다. 나나는 언제나 "꿀벌"만 받았다. 특히 그녀는 수학과 신체 운동에서 두각을 나타냈다. 나나는 수학을 가장 좋아했다. 덧셈을 배울 때 학생들은 새 열매를 따 와야 했고, 뺄셈을 배울 때 학생들은 자신이 빼야 하는 양만큼 먹어 치웠다. 신체 운동 수업시간은 어떤가? 나무 오르기, 달리기, 또 수영을 나나는 평소에 아주 좋아했는데, 바로 그런 것들을 운동 수업시간에 배웠다.

학교가 끝난 뒤, 매일 나나는 자신이 사는 동굴의 문 앞에서 아주 목소리를 크게 하여 자신만만하게 외쳤다:

"오늘 나무 오르기에서 꿀벌 한 개를 받았구요. 수학 시간엔 또 두 개 받았어요! 내 혼자만 떡갈나무의 열매 이름을 알아맞혔어요(또한 비슷한 다른 것도)!"

어느 날, 나나는 쉽지 않은 문제를 풀어가야 하는 과제물을 받았다. 이 작은 숲에 자라고 있는 모든 종류의 나뭇잎을 따가야 했다. 그리고 그녀는 어느 나무에 어느 나뭇잎이 달리는지 기억해 두어야 했다.

나나는 닷새 동안 나뭇잎들을 따서 모았다. 그녀는 이를 선반에 순서대로 준비해 두었다. 그러나 그렇게 모아 둔 나뭇잎을 가져가야 하는 날, 그녀는 너무 서두르는 바람에 그만 그 과제물에 대해선 잊고 학교로 갔다. 학교에 가서야 그녀는 과제물을 가져오지 않은 것을 알고 아연실색했다.

"이제 어떡한담?" 나나는 생각했다.

집에 갔다 오려면 충분한 시간이 되지 않은 것 같았다. 나나는 낭패의 순간이 되었다.

"내가 오늘은 도토리를 받겠구나! 엄마가 뭐라 말씀하실까?

내가 정말 열심히 따서 모은 나뭇잎인데!"

그녀는 거의 울음을 터뜨리고 싶을 지경이었다. 이번엔 배가 아프기 시작했다. 머리도 함께. 바로 그때 그녀는 저 멀리서 페로가 학교를 향해 오고 있는 모습을 볼 수 있었다. 페로가 누나의 과제물인, 따놓은 나뭇잎들을 들고 오고 있음도 그녀는 볼 수 있었다. 계속 아팠던 병이 곧 나아 버렸다. 나나는 남동생을 언제나 사랑해 왔지만, 이 순간만큼 끔찍이 사랑해 본 적은 없다. 나나는 나중에 그 과제물 평가에서 꿀벌을 받았다. 페로는 누나에게서 큰 키스를 받았다. 또 집에서는 그는 누나로부터 배도 선물로 받았다.

HEJMTASKO

Kiom ajn maltrankvila, vigla kaj laŭta hejme, Nana estis trankvila, tre respondeca kaj silenta en la lernejo. Tute alia ursido, diris ŝia patrino. Nana tre ŝatis la lernejon kaj estis vere bona lernanto. La instruistino Ursula konstante ŝin laŭdis.

Ankaŭ ursidoj havas siajn notojn, sed ili nomiĝas alie. La plej bona noto ĉe la ursidoj estis "abeleto". La sekvaj notoj, malpli bonaj, estas "piro", "pomo" kaj "pruno". La plej malbona estas "glano". Nana havis nur abeletojn. Precipe bona ŝi estis en matematiko kaj en korpkulturo. Matematikon ŝi tre ŝatis, ĉar por ĉiu adicio ili iris kolekti novajn fruktojn, kaj por ĉiu subtraho ili manĝis tion, kion ili subtrahis. Kaj kio pri la korpkulturo? Ŝi jam adoris grimpadon sur arboj, kuradon kaj naĝadon, kaj ĝuste tion ili lernis.

Ĉiun tagon post la lernejo Nana fierege, jam ĉe la pordo de la kaverno, kriis:

Mi ricevis abeleton en grimpado kaj eĉ du en matematiko! Kaj mi sola sciis, kiun frukton donas kverko (aŭ io simila)!

Iun tagon Nana devis fari tre grandan taskon.

Ŝi devis kolekti foliojn de ĉiuj specoj de arboj, kiuj kreskas en Eta Arbaro. Kaj ŝi devis lerni, al kiu arbo apartenas kiu folio.

Nana diligente kvin tagojn kolektadis la foliojn. Ŝi orde vicigis ilin sur bretón. Sed en la tago, kiam ŝi devis ilin kunporti, ŝi ege hastis kaj simple forgesis ilin. En la lernejo ŝi kun konsterno rememoris, ke la taskitajn foliojn ŝi ne havas.

Kio nun? - pensis Nana.

Ne estis sufiĉa tempo por reveni hejmen. Nana estis senespera.

- Mi ricevos glanon! Kion Panjo diros? Kaj tiome mi penadis!

Ŝi preskaŭ ekploregis. La ventro komencis ŝin dolori. Ankaŭ la kapo. Kaj ĝuste tiam ŝi vidis, ke Felĉjo estas venanta kaj portanta ŝian foliaron. Tuj malaperis ĉiuj malsanoj. Ŝi la fraton ĉiam multe amis, sed neniam tiom multe, kiom en tiu momento.

Nana ricevis abeleton. Felĉjo ricevis grandan kison, kaj hejme ankaŭ ŝian piron.

라라 와의 우정

나나는 아주 좋은 친구 하나를 사귀게 되었다. 적어도 나나는 그렇게 생각했다. 그 암컷 곰 친구 이름은 라라였다. 그들은 학급에서도 함께 나란히 앉았고, 서로 비밀을 지킬 줄도 알았고, 서로 과제도 도와주었다. 그들은 함께 나무 오르기 연습도 해 가며, 가장 좋은 꿀을 찾기도 했고, 가장 맛난 과일을 찾아내기도 하였다.

나나가 나무를 오르내리기를 잘 하지만 오르내리는 방향잡기엔 라라가 더 잘 하였다. 그 때문에 그들은 항상 좋은 짝이 되었다. 그들은 작은 숲에서 아직 가보지 않은 곳들을 탐험해 보기도 하였다. 몇 시간 동안 그들은 이리저리 돌아다니기며 산과 개울을 구경하기도 했다. 그런 우정은 영원하게 계속되리라 여겼다.

그러나 우정이란 때로는 아주 쉽게 깨질 수도 있다. 우정을 굳건하게 유지하려면 서로 많은 노력을 들여야 하지만, 사소한 일 하나에도 우정은 깨지기 쉽다. 그 때의 그런 우정은 진정한 우정이 아니었다.

라라는 나나와 함께 있을 때는 진짜 착한 곰이었다. 그런데 그 둘이 있는 모임에 새 곰이 끼어들면, 그때 라라는 완전히 나나를 무시하였다. 특히 라라가 자신의 형제자매와 함께 지낼 때, 만일 나나가 함께 있을 때는 더 그러했다. 그들은 함께 있던 나나엔 전혀 관심을 주지 않았다. 심지어 그들은 어떻게 하면 나나를 바보로 만들지 그 점만 궁리하였다.

한번은 라라의 형제자매가 나나의 기분을 심하게 망치게 했다. 마치 행실이 나쁜 아이들처럼 그들은 나나를 대했다. 그런데도 라라는 나나를 괴롭히는 그들의 오누이를 전혀 야단하지 않았다.

한번은 그 오누이가 자기 집에서 엄마가 먹을 꿀 한 통을 다 먹어치웠다. 나중에 우연히 그들이 사는 곳을 방문한 나나에게 그 꿀은 나나가 모두 먹어버렸다고 자기 부모에게 거짓말을 했다. 그런데 그때 라라가 다음과 같은 말을 자신의 부모에게 말하자, 그 일은 더 꼬여 버렸다:

"정말 나나가 다 먹었어요. 저 애가 꿀통 옆에 마지막으로 서 있었어요" 그 말이 사실이 아님을 라라도 알고 있음에도 불구하고 말이다.

그런 일을 나중에 나나 엄마도 아시게 되었다. 그때문에 나나는 7일 동안은 학교 가는 것 외에는 집 밖에 못나가도록 하는 벌을 받았다. 나나는 이 모든 것을 참았다. 그녀는 그날 그렇게 벌어진 것은 우연한 일이고, 또 라라가 거짓말할 의사가 없을 것이고, 그들 형제자매가 자기 자매인 라라에게 그렇게 하라고 시켰을 것이라고 나나는 그 상황을 생각해 보았다.

하지만 곧, 나나는 스스로 라라 와의 그 "우정"에 대해 알아차릴 기회가 생겼다.

어느 날 나나는 우연히 어느 키 작은 나무들이 있는 곳에 그만 갖고 있던 배를 빠뜨렸다. 그녀는 그 나무들 사이로 헤집으면서 떨어뜨린 배를 찾기 시작했다. 밖에서 보면, 그 키 작은 나무들 사이에는 떨어뜨린 것이 어디에 있는지 보이지 않았다. 바로 그 순간 라라가 자기 친구인 툴리아와 함께 그곳을 지나며 서로 대화를 나누고 있었다. 툴리아는 뭘 하기보단 침 뱉기를 좋아하는 암컷 곰으로 알려져 있었다. 라라가 나나에 대해 다음과 같이 말하고 있었다.

"나나 걔는 자신을 얼마나 대단한 존재라고 하는지! 사실은 걘 정말 맹하거든. 나나 걔는 나를 친구로 생각하지만, 사실 걔가 학교에서 나를 도와주니, 그냥 내가 걔와 함께 지낼 뿐이야."

나나는, 그 말을 듣고는, 키 작은 나무들 사이에서 배를 찾고 있다가 깜짝 놀라 거의 펄쩍 뛰어오를 뻔했다. 그녀는 자신의 귀를 믿을 수 없었다. 라라가 그녀를 그렇게 나쁘게 말하다니! 학급에서 언제나 침만 뱉는 품행이 방정하지 못한 툴리아에게 그런 말을 하다니! 나나는 지금 울고 싶었다. 하지만 그녀는 침착한 채 계속 들어보았다.

그러자, 이번에는 툴리아가 자신의 의견을 말했다:

"또 있잖아. 걘 자신이 무슨 미녀인 줄 알아. 그녀의 밋밋한 털을 보라구. 또 귀는 커다랗기만 하고 길쭉하기만 해. 우리 귀가 정말 예쁘게 생겼지, 그렇지?"

진실로 말하자면, 나나는 정말 아주 아름답게 생겼으나 한 번도 자신의 미모로 거만하게 행동한 적은 없었다. 툴리아는 질투심이 많았다. 왜냐하면, 자신은 그녀처럼 예쁘지 않았으니.

그때 툴리아가 뭔가 기대하듯이 말했다:

"후-우, 난 그 앤 보고 싶지도 않아. 난 걔를 한번 어떻게 화나게 해 주고 싶지만, 어떻게 해야 할지 모르겠어."

라라는 기쁜 표정으로 자신의 아이디어를 말했다: "걔 화나게 만드는 법 내가 알아! 우리가 미쵸에게 일러주자. 나나가 미쵸를 좋아한다고."

나나는 이 모든 걸 화난 채 듣고 있었다. 미쵸는 같은 반의 남학생이지만, 나나는 그를 아주 싫어하고 있었다. 미쵸는 착하지 않고, 예의도 바르지 않는 학생이었다.

"오, 그거 참 좋은 소문이겠어. 정말 사건이 되겠어!" 라라가 계속했다. "그게 어떻게 전개될지 어서 보고 싶어. 정말 보고 싶어!"

그들은 나쁜 생각을 하며 웃으면서 그곳을 지나갔다. 나나는 키작은 나무들 사이에 있으면서 순간 깜짝 놀라, 어쩔 줄을 모른 채 있었다.

'그렇구나, 라라가 그런 애였구나.' 그녀는 생각했다. '나는 그동안 착한 앤 줄 생각하였네.'

'그래. 좋아. 난 오래전에 툴리아가 나쁜 애라는 걸 알고 생각을 접었어. 라라도 이제 똑같은 애구나! 나는 그런 생각을 도저히 해 볼 수도 없는 걸! 얼마나 내가 순진했던가!' 나나는 자신에 대해 화가 났다.

완전히 풀이 죽은 채, 나나는 집으로 돌아왔다. 그녀는 오늘 자신이 들은 대로 엄마에게 말해 보았다.

"너는 운이 좋구나. 적당한 시점에 라라의 진실한 모습을 보았으니." 하며 엄마가 나나를 위로해 주었다.

"하지만 학급생 중엔 네가 친하게 지낼 수 있는 곰도 많아."

다음날 학교에서 평소와 달리, 나나는 아무 말 없이 그리지뇨 라는 다른 학생 옆에 가서 앉았다. 더구나 나나는 라라를 쳐다보지도 않았다. 평소와 달라진 나나였다. 그날 수학 시험이 있었다. 시험의 채점 결과, 준비를 제대로 하지 않은 라라는 집채만큼 큰 도토리를 받았다. 그러나 나나는 착실히 준비해 온 덕분에 꿀벌을 받았을 뿐만 아니라, 여선생님으로부터 각별한 칭찬도 받았다.

라라는 나나에게 친구가 되려고 말을 걸어왔으나, 나나는 그런 그녀의 말을 들으려고도 하지 않았다. 그런 여자 친구란 필요하지 않았다.

라라는 나중에 혼자 시험을 준비해야 했다. 그때 라라는 나나가 없어 시험 준비에 도와주지 않은 것을 아주 아쉬워했다. 그러나 나나는 라라를 전혀 아쉬워하지 않았다.

LA AMIKECO KUN LARA

Nana havis tre bonan amikinon. Almenaŭ Nana tiel pensis. La amikino nomiĝis Lara. Kune ili sidis en la lernejo kaj reciproke konfidis al si sekretojn kaj helpadis sin pri hejmtaskoj. Kaj kune ili ekzercis sin en arbogrimpado, trovadis la plej bonan mielon kaj la plej bongustajn fruktojn.

Nana grimpis pli bone, sed Lara pli efike orientiĝis, kaj tial kune ili estis tre bona paro. Ili ŝategis esplori kaŝitajn lokojn en Eta Arbaro. Dum horoj ili vagadis ien-tien kaj rigardis la naturon. Ŝajnis, ke tiu amikeco daŭros eterne.

Sed la amikeco estas afero facile rompebla. Oni devas ĝin multe flegi, kaj ofte sufiĉas nur unu bagatelaĵo, por ke ĝi rompiĝu. Sed tiam ĝi certe ne estis la vera amikeco.

Lara estis vere bona, kiam ŝi estis sola kun Nana. Sed kiam ajn en la societon venis iu alia, jam ŝi tute ne atentis pri Nana. Speciale granda problemo estis ĉiam, kiam aperis la gefratoj de Lara. Ili tute ne montris intereson pri Nana, kaj krome ili klopodis ĉiumaniere fari, ke Nana aspektu stultulo. Foje ili estis tre malagrablaj kaj malicaj. Sed Lara neniam riproĉis ilin, kio ĝenis Nanan.

Unu fojon la gefratoj de Lara formanĝis la tutan mielon de sia patrino, kaj poste la tutan kulpon ili ĵetis al Nana, kiu nur hazarde estis ĉe ili vizite. Kaj la afero eĉ pli malboniĝis, ĉar Lara diris:

- Certe Nana formanĝis, ŝi ja staris la lasta apud la mielo - kvankam Lara sciis, ke tio ne estas vera.

Pri tiu akuzo poste eksciis la patrino de Nana. Kaj pro tio Nana dum sep tagoj ne rajtis eliri el la hejmo, krom en la lernejon. Nana ĉion ĉi eltenis, pensante ke la afero okazis hazarde, kaj ke Lara ne volis mensogi, sed ke ŝiaj gefratoj devigis ŝin.

Tamen, baldaŭ Nana mem konvinkiĝis pri la "amikeco" de Lara. Unu tagon ŝi hazarde perdis piron en iu arbustaro. Ŝi eniris tien kaj komencis la serĉadon. De ekstere ŝajnis, ke inter la arbustoj estas neniu. Kaj ĝuste en tiu momento alvenis Lara kun Tulia. Ĉi tiu estis konata kiel ursino, kiu ŝatas klaĉadon pli ol ajnon. Lara estis parolanta pri Nana.

- Kiel tiu Nana sin opinias gravega! Kaj kiom stulta fakte ŝi estas - diris Lara - Ŝi pensas, ke ni estas amikinoj, sed mi estas kun ŝi nur tial, ke ŝi helpas min en la lernejo!

Nana en la arbustaro preskaŭ saltis pro konsterniĝo. Ŝi ne povis kredi al siaj oreloj. Ĉu Lara tiel malbelan opinion havas pri ŝi? Kaj tion ŝi diras al Tulia, kiu estas la plej fifama klaĉulino en la klaso! Nana plej volonte ekplorus, sed tamen ŝi trankviliĝis kaj aŭskultis plu.

Kaj Tulia aldonis sian komenton:

- Krom tio, ŝi kredas sin ia belulino. Kaj vidu nur ŝian mizeran felon. Ankaŭ, ŝiaj oreloj estas grandaj kaj aĉe elstaraj, certe ne bele etaj, kiel la miaj.

Por diri la veron, Nana aspektis vere tre plaĉe, sed neniam ŝi orgojlis pri tio. Tulia estis nur ĵaluza, ĉar ŝi mem ne estis tiom bela!

Tiam Tulia diris sopire:

- Hu, mi ne povas eĉ vidi ŝin. Tre volonte mi iel ŝin kolerigus, sed mi ne scias kiel!

Lara kun ĝuo kriis la ideon: - Mi scias, kio ŝin ege kolerigos! Ni diros al Miĉjo, ke Nana enamiĝis al li.

Nana ĉion ĉi kolere aŭskultis. Miĉjo estis ursido el ilia klaso, kiu al ŝi tute ne plaĉis. Male, ŝi opiniis lin malbona kaj maldeca!

- Ho, kia bona ŝerco kaj moko tio estos! -

daŭrigis Lara. - Ege malpacience mi atendos, ĝis mi vidos, kio okazas!

Ili foriris malice ridante. Nana restis konsternita en la arbustaro.

Tia, do, estas Lara - pensis ŝi. - Kaj mi pensis, ke ŝi estas bona.

Bone, pri Tulia mi delonge ne havis iluzion. Sed ke Lara samas! Tion mi neniam kapablus ekpensi! Kiom naiva mi estis! - koleris Nana pri si mem.

Plene malfeliĉa, ŝi revenis hejmen. Tie ŝi elrakontis al Panjo tion, kion ŝi aŭdis.

- Vi estis bonŝanca, ĉar ĝustatempe vi ekkonis la veran vizaĝon de Lara - konsolis ŝin Panjo.

- Kaj certe ekzistas aliaj ursinoj, pli bonaj, kun kiuj vi povas amiki.

Morgaŭ en la lernejo Nana senvorte sidiĝis apud Grizinjo. Laran ŝi eĉ ne rigardetis. Lara ne povis ĉesi miri. Eĉ pli malbone, tiun tagon estis ekzameno pri matematiko. Lara ricevis glanon grandan kiel domo, kaj Nana ne nur abeleton, sed ankaŭ specialan laŭdon de la instruistino.

Lara provis reamikiĝi, sed Nana ne volis pri tio eĉ aŭdi. Tiajn amikinojn ŝi ne bezonas.

Lara poste devis sola fari siajn ekzamenojn. Tiam Nana tre mankis al ŝi. Sed Lara al Nana tute ne mankis.

위험한 놀이

나나 학급에서는 스툴쵸 라는 곰도 함께 배우고 있었다. 그들은 진짜 친구가 아니다. 더 적당한 말은 "서로 아는 사이"라는 것이다. 둘이 사는 동굴이 서로 아주 가까이 있어, 그러니 그들은 때로는 함께 놀았다. 그 밖에도 스툴쵸의 어린 누이가 플라와 썩 잘 지내고 있다. 그래서 스툴쵸는 자신의 생일잔치에 나나와 페로, 플라를 초대했다.

우리의 삼 남매는 생일잔치라 하면 아주 좋아해, 기꺼이 초대에 응했다. 그들은 플라가 아쉬워함에도 불구하고 꿀이 가득 담긴 항아리를 선물로 들고 가기로 했다.

"우리가 여기 집에 남아, 이 아름다운 꿀을 다 먹는 편이 더 낫지 않아?" 플라가 물었다.

"오, 안되지. 그래도 꿀보다야 생일잔치가 더 낫지!" 플라는 결론을 내렸다. "그곳엔 맛난 먹거리가 더 많겠지."

스툴쵸의 집에 가보니, 부모는 지금 댁에 안 계셨다. 그리고 어린 곰들이 뭘 하며 지내는지 아무 관심을 가지지 않았다. 우리의 주인공 삼 남매 외에도 다른 이들도 함께 초청받았다. 나나는 여기에 모인 모든 새끼 곰을 적어도 조금씩 안다. 그리고 페로와 플라도 몇 명은 안다.

모두가 아주 아름다운 꿀 과자들을 먹어 치우고, 월

귤나무 열매의 즙을 다 마신 뒤에, 놀이가 시작되었다.

모든 곰돌이는 자신이 좋아하는 항목이 하나씩 있었다. 누구는 도토리, 누구는 사과, 누구는 밤 등등. 그들 모두는 자신이 좋아하는 한 가지를 어느 항아리 속에 넣어야 했다. 그들은 플라에게 두 눈을 감고 그 항아리 속의 항목 중 하나씩을 뽑아 달라고 결정했다. 그들은 플라가 가장 어려, 어느 것을 누가 좋아하는 것인지 아직 잘 모름을 알고 있었다. 그러니 그녀가 그 놀이에서 속을 수 밖에 없다.

그 놀이는 이러했다. 플라가 그 항아리에서 한 개를 뽑으면, 그것에 해당되는 당첨된 곰인 그(그녀)는 자신이 좋아하는 다른 곰(그/그녀)이 누구인지를 밝혀야 하는 놀이였다. 만일 그렇게 지목받은 상대방이 자신은 지목한 이를 좋아하지 않는다고 하면, 그 당첨된 곰(그/그녀)은 과자를 하나 먹어야 하는 방식이었다. 곰들은 자신이 좋아하는 이를 밝히지 않으려고 했다. 그렇게 다른 이의 이름을 말하자, 그렇게 이름이 오르내린 상대방도 자신은 당첨자를 좋아하지 않는다고 했다. 그렇게 되자, 당첨자 자신은 과자를 한 개 먹을 수 있게 되었다. 나중엔 결국 과자가 든 항아리가 비어졌다.

이 놀이가 그들에게 지루하게 되자, 그들은 달려라-잡아라 하는 놀이를 시작했다. 나나는 가장 빨라, 아무도 그녀를 붙잡을 수 없었다. 오늘이 생일인 스툴쵸는 다른 암곰이 자신보다 더 빨리 달리는 것을 아주 못 마땅해했다. 그 때문에 그는 그녀만 뒤쫓아 다녔다. 그러면서 그는 수많은 가재도구를 넘어뜨렸다. 불쌍한 스툴쵸 어머니! 나중에 그 어머니는 잔치 때의 그만큼 어지럽혀진 집을 정돈하는 데 시간을 허비해야 했다. 어머니가 집에 돌아오시면, 어머니가 이 엉망으로 변해버린 집을 보면 실로 기절할 만큼의 실제로 위험이 기다리고 있었다.

그렇게 열렬히 뛰어다니니, 모두는 아주 피곤하고 목도 말랐다. 그 때문에 그들은 십 리터의 즙을 마셨다. 그리고 여전히 그들은 무슨 놀이를 더 하면서 놀지 생각하며 앉았다. 스툴쵸는 그가 사는 동굴 가까이, 숨겨진 장소에 빨간 열매들이 탐스럽게 달려 있음을 알고 있었다. 정말 그는 아직 그 열매들을 먹어 보지 않았지만, 그것들은 아주 먹음직스럽게 보였다고 했다.

"예쁜 열매들을 보러 가자. 맛도 얼마나 좋다구. 우리가 그것 먹으러 가볼래! 출발!" 그렇게 그가 제안했다.

그러나 나나가 이를 막아섰다.

"우리 어머니께서 늘 말씀하시길, 잘 모르는 과일을 따 먹으면 안 된다고 하셨어. 특히 만일 어른도 가까이 안 계신 곳에서는 먹으면 안 된다고 하셨어." 그녀는 좀 두려운 목소리로 말했다.

그러자 스툴쵸가 화를 냈다. '오, 또 나나 너로구나! 처음에는 나보다 더 빨리 달리더니. 이번에는 나에게 이것은 하면 되고, 저것은 하면 안 된다고 말하네. 그리고 그걸 우리 집 안에서 하다니!'

"너는 겁쟁이야!" 스툴쵸는 그녀에게 대꾸했다.

그때 모두는 나나를 향해 웃으며 연거푸 놀렸다.

"나나는 겁쟁이래요. 나나는 겁쟁이래요!"

그녀는 그 비난에 거의 울음을 터뜨릴 뻔했다.

새끼 곰들은 나나를 놀리는 것을 그만두고는 동굴 가까이에 있는 그 열매를 따러 나섰다. 그곳에서 페로도 몰래 한 개를 먹어 보았다. 플라는 자신의 입으로 세 개를 집어넣었다. 나나만 하나도 먹지 않았다.

이젠 화까지 난 그녀는 페로와 플라를 데리고 집으로 와 버렸다.

그들이 집에 도착하자 곧 페로와 플라는 배가 아프기 시작했다. 페로는 어느 키 작은 나무가 있는 곳으로 오 분 간격으로 달려갔다. 플라는 모두 토해 냈다. 그러자 곧 편안해졌다. 이제 그들은 나나를 쳐다보면서 부끄러워했다.

확실히 나나는 동생들에게 미리 말했었다. "정말 나는 너희들에게 말했어, 그런데 넌 내 말을 안 들었으니."

그러나 나나는 그들을 비난하지 않았다. 그녀는 좀 걱정이 되어 엄마에게 말씀드렸다.

"다른 곰들은 저 동생들보다 더 많이 먹었어요. 만일 페로와 플라가 저만큼 아프면, 다른 곰들은 죽을지도 몰라요."

"그럼, 어서 가보자, 우리가 스툴쵸의 집으로 가봅시다!" 그렇게 엄마 곰은 아빠 곰에게 말했다.

"너희 셋 똑같아! 너희도 엄마 아빠가 있을 때 그걸

먹어야 하는지 물어보아야지." 그렇게 엄마는 흥분이 되어 크게 울부짖었다.

"아, 안 돼. 저 어린 것들이! 어떻게 그런 생각만 저 녀석들은 해냈는가! 분명히 그 열매는 독이 있는 열매야! 만일 우리가 충분히 일찍 도착할 수만 있다면!" 엄마는 온 식구와 함께 가면서 계속 말했다.

도착해 보니, 그들은 정말 '아름다운' 장면을 목격하게 되었다. 모든 새끼 곰이 땅바닥에 누운 채, 아픈 배를 웅크린 채 있었다. 가장 많이 아픈 이는 스툴쵸였다. 자신이 용감하다는 것을 다른 곰에게 보이려고 그가 가장 많은 양의 열매를 따서 먹은 것이다. 그의 머리는 이미 완전히 새파랬고, 숨도 제대로 못 쉬고 있었다. 엄마는 모든 새끼 곰에게 토할 수 있도록 즙을 주었고, 아빠는 다른 엄마 아빠를 부르러 갔다. 집으로 돌아온 스툴쵸의 어머니는 그만 기절해 버렸다. 엉망인 집 때문이 아니라, 아파하는 스툴쵸 때문에.

스툴쵸는 그날 밤 내내 토해 냈고, 다음 날 낮에도 토해 냈다. 그리고 여전히 이주일 더 제대로 잘 지내지 못했다. 다른 이들은 다소 잘 지냈다. 그들은 대체로 삼일이 지나 병이 회복되었다. 그러나 서로 먹어도 된다고 자신있게 말하던 그 열매를 앞으로는 두 번 다시 아무도 먹고 싶지 않았다.

DANĜERA LUDO

En la klaso de Nana estis ankaŭ Stulĉjo. Ili ne estis veraj amikoj. Pli taŭga vorto estus "konatoj". Iliaj kavernoj estis tre proksimaj, kaj tial ili foje ludis kune. Krom tio, Stulĉjo havis malgrandan fratinon, kiu volonte ludis kun Flavinjo. Pro tio Stulĉjo invitis Nanan, Felĉjon kaj Flavinjon al sia naskiĝtaga festo.

Ĉar niaj tri ursidoj adoris naskiĝtagajn festojn, tre volonte ili akceptis la inviton. Ili alportis poton plenan de mielo, je bedaŭro de Flavinjo.

- Ĉu ne estus pli bone, ke ni simple restu hejme, kaj formanĝu tiun belan mielon? - demandis Flavinjo.

- Ho, ne, tamen pli bonas naskiĝtagoj ol mielo! - ŝi konkludis. - Krom tio, certe tie estos multe da dolĉaĵoj!

La gepatroj de Stulĉjo ne estis en la hejmo, kaj do neniu atentis pri tio, kion faras la ursidoj. Krom nia triopo, estis tie multegaj aliaj invititoj. Ĉiujn ĉi ursidojn Nana konis, almenaŭ iomete, kaj kelkajn konis ankaŭ Felĉjo kaj Flavinjo.

Post kiam ĉiuj formanĝis belegajn mielkukojn

kaj fortrinkis mirtelan sukon, komenciĝis ludoj.

Ĉiu ursido havis sian signon. Iu estis glano, iu pomo, iu kaŝtano ktp. Ĉiuj ĉi signojn ili metis en unu poton. Flavinjon ili elektis, por ke ŝi kun fermitaj okuloj eltiru la signojn. Ili sciis, ke ŝi estas eta kaj ne povanta memori, kiu signo estas kies. Do ŝi ne trompos en la ludo.

La ursido, kies signo estus eltirita, devus diri, al kiu li/ŝi simpatias. Se tiu ne volis fari tion, tiam li/ŝi devis manĝi kukon. La ursidoj plejmulte ne deziris malkovri sian simpation, kaj sekve la poto kun kukoj rapide malpleniĝis.

Kiam tio ĉi ilin tedis, ili komencis ludi kuru-kaptu-ludon. Nana estis la plej rapida kaj neniu povis kapti ŝin. Stulĉjo tre malkontentis pri tio, ke unu knabino pli rapidas ol li. Tial li ĉasis nur ŝin. Survoje li renversis multajn objektojn en la hejmo. Kompatinda patrino lia! Tiom ŝi klopodis ordigi la hejmon, por ke ĝi estu kiom eble plej bela por la festo. Kiam ŝi revenos hejmen, ekzistas reala danĝero, ke ŝi svenos vidinte la malordon.

Pro la kurado ĉiuj tre laciĝis kaj soifis. Tial ili fortrinkis dek litrojn da suko kaj sidiĝis por pripensi, kion ankoraŭ ili povus ludi. Stulĉjo rimarkis belegajn ruĝajn berojn sur iu arbusto, kiu kreskis en la proksimo, iom kaŝite. Vere li ankoraŭ neniam provis ilin, sed ili aspektis tre bongustaj.

Vidu ĉi tiujn belegajn berojn, ili devas esti ankaŭ tre bongustaj. Ek, ni provu ilin! - proponis li.

Sed Nana kontraŭis:

- Niaj patrinoj ĉiam diras, ke ni ne rajtas preni fruktojn, kiujn ni ne konas. Precipe ne, se neniu plenkreskulo estas en la proksimo - diris ŝi per iom timanta voĉo.

Stulĉjo koleris. Ho, tiu Nana! Unue, ŝi estas pli rapida ol li. Kaj due, ŝi nun diras al li, kion li rajtas, kaj kion ne! Kaj tion ŝi faras en lia propra hejmo!

- Vi estas nura timulino! - kolere li respondis al ŝi.

Tiam ĉiuj ridis al Nana kaj ripetadis:

- Nana estas timulino! Nana estas timulino!

Ŝi preskaŭ ekploris pro la turmento.

Kiam la ursidoj ĉesis moki ŝin, ili atakis la berojn. Eĉ Felĉjo kaŝe provis unu, kaj Flavinjo metis tri en sian buŝon. Nur Nana prenis neniun.

Kolere ŝi kaptis Felĉjon kaj Flavinjon, kaj foriris kun ili hejmen.

Tuj post la alveno, Felĉjon kaj Flavinjon ekdoloris la ventroj. Felĉjo kuris post iun arbuston ĉiujn kvin minutojn. Flavinjo elvomis ĉion, kaj tuj denove fartis bone. Nun ili ambaŭ honte rigardis al Nana.

Certe tiu predikos al ili: - Ja mi diris al vi, sed vi ne volis obei.

Sed Nana ne riproĉis ilin. Ŝi nur time diris al Panjo:

- Aliaj ursidoj manĝis multe pli da beroj ol tiuj du. Se Felĉjo kaj Flavinjo tiom malbone fartas, la aliaj povus eĉ morti.

- Rapide, ni iru al la hejmo de Stulĉjo! - diris la ursino al la patro urso.

- Vi tri same! Eble ankaŭ vin ni bezonos! - muĝis ŝi ekscitite.

- Ho, ve, tiuj ursidoj! Kiel ili nur povis ion tian elpensi! Evidente la beroj estis venenaj! Se ni nur povus veni sufiĉe frue! - muĝis ŝi daŭre, dum ili kuris.

Alveninte, ili havis vere "belegan" vidaĵon. Ĉiuj ursidoj kuŝis sur la tero kaj fleksiĝis pro doloro. Plej aĉe aspektis Stulĉjo. Por montri al aliaj sian kuraĝon, li manĝis plej multe da beroj. Lia haro estis tute blua kaj malfacile li spiris. Panjo rapide donis al ĉiuj ursidoj la sukon, kiu kaŭzas vomadon, kaj Paĉjo foriris voki iliajn gepatrojn. Alveninte hejmen, la patrino de Stulĉjo vere svenis. Nur ne pro la malordo, sed pro Stulĉjo.

Stulĉjo vomadis la tutan nokton, plus morgaŭ la tutan tagon. Kaj malbone li fartis ankoraŭ du semajnojn. La aliaj fartis pli bone. Ili plejmulte resaniĝis jam post tri tagoj. Sed neniu plu volis iam ajn manĝi berojn, pri kiuj li aŭ ŝi ne estas tute certa, ke ili manĝeblas.

플라가 아프다

플라는 가장 어린 곰이다. 그러니 우리 삼 남매 중에서 장 예민하다. 엄마는 언제나 플라가 아프지 않도록 늘 세심하게 살펴야 한다.

"플라, 너는 물에 너무 오래 놀면 안 된다." 라거나 "날이 차고, 숲의 바람도 세니, 어서 집으로 오너라." 일분 간격으로 엄마는 울음소리로 막내를 챙긴다.

그러나 그런 주의에도 불구하고, 플라는 이런저런 감기에 자주 걸린다. 나나와 페로에겐 아무 일도 없었으나, 며칠간 막내는 집에 누워 있어야 했고, 코를 벌렁거린다.

오늘도 마찬가지였다. 막내의 코가 마르는 증세 외에도 한쪽 귀가 세게 아팠다. 너무 아파 고함도 질렀다. 엄마는 자신의 큰 발로 막내의 귀를 따뜻하게 해주려 했으나, 그것은 도움이 되지 못했다. 아빠가 가장 맛난 꿀을 가져 왔지만 플라는 아예 쳐다보지도 않았다. 그녀는 아파서 소리만 지른다.

나나와 페로는 아픈 막내를 크게 걱정하였다. 그들도 도와주고 싶어도 방법을 몰랐다. 더구나 엄마 아빠도 무슨 약초가 좋은지 모르는데, 어린아이들이 어떻게 한담? 페로는 자신의 발을 이용해 머리를 긁어 보았다. 나나는 눈썹을 찡그리며 생각을 거듭했다. '그들이 뭘 할 수 있을까?'

그때 갑자기 나나에게 좋은 아이디어가 떠올랐다.

그들은 이웃의 아줌마 올빼미를 찾아 가보기로 했다. 그런데, 아줌마는 평소 그들을 만나면 기분이 나쁜 표정을 보이며 화를 벌컥 내기도 하였다. 왜냐하면, 평소 우리 삼 남매가 너무 소란스럽게 행동하였기 때문이었다. 또 그녀는 자신을 나무에서 떨어지게 만든 장본인이 바로 이들이라고 조금 의심하고 있었다. 그러나 그녀의 속마음이 착했다. 그래서 그녀는 많은 것을 알고 있었다. 만일 누군가 도와주는 경우가 있다면 바로 이 아줌마 올빼미다. 그래서 나나와 페로는 그 올빼미가 사는 나무 아래로 가서, 올빼미를 불렀다.

"이웃 아줌마 올빼미, 이웃 아줌마 올빼미, 나와 보세요. 저희를 도와주세요. 아줌마 도움이 필요합니다!" 그들은 온 힘을 다해 외쳤다.

낮이었다. 모두 알다시피, 낮 동안 올빼미는 잠을 잔다. 그리고 그들이 행복하지 않을 때가 자신을 누군가 깨우는 바로 그 순간이다. 우리의 올빼미도 마찬가지다. 그녀는 자신의 나무 구멍에서 밖을 내다보며 화난 듯이 눈을 껌벅거렸다.

"그래, 무슨 일로 이리도 소란이니? 너희 둘은 또 무슨 생각을 해냈어?" 그녀는 물으면서도 그들에게 야단칠 준비가 되어 있었다.

"저희가 만일 주무시는 아줌마를 깨웠다면 용서하셔요. 플라가 아주 아파요." 그 어린 오누이가 말했다.

"귀 아픈데 잘 낫게 하는 약초 혹시 아세요? 아줌마는 현명하시고 아시는 것도 많은 분이니. 저희 불쌍한 막내는 세차게 울고만 있어요!"

올빼미는 생각에, 또 생각했다. 한편으로 아줌마 올빼미는 자신을 현명하다고 그들이 칭찬해주니 기분이 좋았다. 한편으로 그녀는 플라가 정말 불쌍하구나 하는 생각도 들었다. 일 분이 지나고, 이 분이 지났다. 그녀는 조용히 생각을 계속했다. 그동안 오누이는 조용히 기다리면서도, 마음속으로는 발을 동동 구르고 있었다. 그들은 그 아줌마가 화를 낼까 봐 계속 물어보지도 못했다.

마침내 아줌마는 말했다: "난 알아냈어! **꿩의비름**이라는 식물의 잎을 하나 따서는 그 잎에서 나는 즙을 짜거라. 즙을 충분히 받아서 아픈 귀에 사용하면 귀에는 좋은 약이 될 거야. 그렇게 우리 어머니에게서 들은 적이 있어."

"그런데 그 '꿩의비름'이라는 식물은 어떤 모양인가요? 어디에 가면 구할 수 있나요?" 나나가 물었다.

"우리가 사는 가까이에서도 구할 수 있지." 올빼미가 말했다.

"가시가 없는 선인장과 비슷한데. 그래, 내가 가르쳐 주지."

아줌마 올빼미는 그 '꿩의비름'이 자라는 곳으로 날아 갔다. 그 뒤를 새끼곰 오누이는 따라갔다. 올빼미는 자신의 부리로 파랗고 두툼한 잎을 가진 작은 식물을 알려주었다. 나나와 페로는 급히 그 식물의 잎사귀를 몇 개 뜯었다. 그들은 아줌마 올빼미에게 고맙다고 인사를 하였다. 또 앞으로는 조용하게 놀겠다고 약속하고는 집으로 향했다. 오누이는 아이들이 잎사귀를 들고 들어서자, 깜짝 놀란 엄마에게 이것들이 아픈 귀를 낫게 해 주는 좋은 약이라고 말씀드렸다.

"이웃 아줌마 올빼미가 저희들에게 말씀해 주셨어요. 그분은 이걸 이용하는 법을 알려 주었어요."

엄마는 잎사귀 하나를 짓이겨 즙을 내어, 플라 귀의 안쪽으로 조금 부었다. 반 시간이 지났다. 그런데 신기하게도 플라는 완전히 아픔을 잊고, 집 안에서 뛰어다닐 수도 있었다. 한편 나나와 페로는 간식으로 꿀도 얻어먹을 수 있었다. 그것은 성공적인 치료에 대한 대가였다.

그리고 동시에 올빼미는 이미 코를 골며, 우리의 주인공 삼 남매에게 야단치는 꿈을 꾸고 있었다.

FLAVINJO MALSANIĜIS

Flavinjo estis la plej juna, kaj sekve la plej delikata el nia triopo. Panjo ĉiam devis atenti, ke Flavinjo ne malsaniĝu.

- Flavinjo, ne estu tro longe en la akvo! - aŭ:

- Estas malvarme, venu en la hejmon, for de tiu trablovo! - ĉiun minuton oni aŭdis zorgan muĝadon de Panjo.

Sed malgraŭ ĉiu zorgo, Flavinjo ofte kaptis ian malvarmumon. Al Nana kaj Felĉjo okazis nenio, nur ŝi kuŝadis en la hejmo kaj snufis.

Same estis hodiaŭ. Krom tio, ke ŝi havis malsekan nazon, tre forte ŝin doloris orelo. Ŝi hurlis pro doloro. Panjo provis per sia piedego varmigi ŝian orelon, sed tio ne helpis. Paĉjo trovis la plej bongustan mielon, sed Flavinjo eĉ ne rigardis ĝin. Ŝi nur senespere hurlis.

Nana kaj Felĉjo tre kompatis sian fratinon. Ankaŭ ili volis helpi, sed ili ne sciis kiel. Cetere, kion ili ja faru, se nek Panjo nek Paĉjo konas iun ajn medikamenton. Felĉjo gratis sian kapon per la piedego. Nana pensadis kun kuntiritaj brovoj. - Kion ili faru?

Tiam denove Nana trovis ideon. Ili iru al la

najbarino strigo. Jes, tiu estas ĉiam malbonhumora kaj kolera pri ili, ĉar ili estas tro laŭtaj. Kaj iomete ŝi suspektas, ke ĝuste ili kulpas pri ŝia falo de sur arbo. Sed interne ŝi havas bonan koron, kaj ŝi scias multon. Se iu ajn povas helpi, tio certe estas ŝi. Tial Nana kaj Felĉjo venis sub la arbon, en kiu vivis la strigo kaj vokis ŝin.

- Najbarino strigo, najbarino strigo, eliru, ni petas, ni bezonas vin! - kriis ili plenvoĉe.

Estis tago. Kaj ĉiu scias, ke dumtage strigoj dormas. Kaj ke ili ne estas feliĉaj, se oni ilin vekas. Tiel ankaŭ nia strigo. Ŝi eliris el sia arbotruo, kolere palpebrumante.

- Ja kia bruo estas tio? Kion vi du denove elpensis? - demandis ŝi, jam preta ilin severe riproĉi.

- Pardonu, se ni vekis vin, sed Flavinjo estas tre malsana - diris la ursidoj.

- Ĉu vi konas iun kuracilon kontraŭ oreldoloro? Vi estas tiom saĝa kaj multon scianta, kaj Flavinjo kompatinda tiom ploregas!

La strigo komencis pensadi. Unuflanke, ŝi ĝojis pro ilia laŭdo, ke ŝi estas saĝa. Aliflanke, ŝi vere kompatis Flavinjon. Unu minuton, du minutojn, ŝi pensis silente. Dum tiu tempo la ursidoj silente atendis kaj senpacience movis la piedojn. Sed nenion ili kuraĝis demandi, por ne kolerigi ŝin denove.

Kaj tiam ŝi diris: - Mi scias! Se vi elpremas sukon el unu folio de sempervivo, vi havos fluaĵon, kiu kuracos la orelon. Tiel rakontis mia patrino.

- Kiel aspektas tiu sempervivo? - demandis Nana. - Kaj kie ĝi kreskas?

- Ho, en la proksimo - diris la strigo.

- Kvazaŭ ia kakto sen pikiloj, nu mi montros al vi.

La strigo malrapide forflugis al tiu loko, kie kreskas sempervivo, dum la ursidoj kuris post ŝi. La strigo per la beko montris iun etan planton kun verdaj karnecaj folioj. Nana kaj Felĉjo rapide plukis kelkajn foliojn. Ili dankis al la strigo, promesis, ke ili estos iom malpli laŭtaj, kaj foriris al sia hejmo. Al Panjo, kiu miregis, ili klarigis, ke tio estas bona kuracilo por oreloj.

- La strigo diris al ni, kaj ŝi scias ĉion.

Panjo elpremis sukon el unu folio rekte en la orelon de Flavinjo. Post duono da horo Flavinjo gaje saltadis tra la hejmo, plene forgesinte la dolorojn. Dume Nana kaj Felĉjo frandis po unu porcion da mielo. Tio estis premio pro la sukcesa kuracado.

Kaj samtempe la strigo jam ronkis kaj sonĝis, ke ŝi riproĉas nian triopon.

겨울을 지낼 준비

날이 바뀔수록 날씨는 더욱 차가워졌다. 이젠 목욕도 더는 즐겁지 않았다. 뼛속까지 곧장 추위가 전해지는 것 같은 찬바람이 불었다. 나무에 달린 잎들은, 지금까지 어디에서나 쉽게 보아오던 붉은 색이었는데, 점차 노랗게 변하기 시작하였다. 때로는 하나둘씩 천천히 땅으로 떨어지기 시작했다. 늦가을이 되었다.

이 같은 찬 기운은 확실히 곰돌이들에게도 기쁘지 않았다. 그러나 그들에게 가을이 주는 가장 아름다운 장면은 온 숲이 수많은 달콤한 과일로 가득 차 있다는 것이다. 벌집에는 꿀이 가득했다. 곰이 큰 발로 나무들을 잠시 흔들어 보기만 하면, 입에 침이 흐르게 되는, 맛난 과일들이 가득 보인다! 배를 딸 수도 있고, 사과나 자두, 개암 열매 원하기만 하면, 뭐든 -자유로이 골라 딸 수 있다!

숲의 곰들은 대개 충분히 살이 많고 튼실하다. 다행히도 그들은 살이 많아도 다이어트할 필요가 없다. 반대로 그들은 더욱 살찌려 애쓴다. 왜냐하면, 그들에겐 살진 배가 겨우내 자신들의 먹거리 창고였기 때문이다. 겨울이 와서 눈이 내리면 곰들은 자신의 따뜻한 집에서 잠을 잔다. 그렇게 하여 그들은 봄을 기다린다. 그리고 봄이 오면 그들은 가는 회초리처럼 날씬해 있다.

그러나 우리 주인공 삼 남매를 살찌게 하는 일이란

아주 힘든 일이다. 처음에 그들은 가만히 있지 못하는 만큼, 다른 새끼 곰보다 두 배로 많이 먹어야 했다. 그렇지 않으면 그들은 살찔 수가 없다.

그 밖에도 페로는 먹는 걸 별로 좋아하지 않는다. 먹거리를 그의 입으로 가져가는 것은 -그것은 정말 예술이다. 이미 엄마 아빠는 이렇게도 시도해 보았다:

"자, 어서. 페로야. 엄마를 생각해서 한입 가득. 그리고 이번엔 아빠를 위해 먹자. 그리고 이번엔 나나를 위해. 오, 그래, 플라를 위해 한번만 더, 또 우린 플라를 생각하지 않으면 안 되거든!

그리고 이웃 아줌마 올빼미를 위해서...." 등등.

나나는 먹는 것을 좋아하고 기꺼이 먹는다. 그러나 나나는 올해가 동물들이 날씬하게 지내는 게 유행이라는 걸 알고 있다. 그러나 엄마와의 밀고 당기는 대화를 통해 엄마는 나나를 살찌게 하는 데 성공했다.

플라는 먹성이 좋다. 올해 유행에 대해선 전혀 모르는 듯이 그녀는 휘파람 불면서도 먹기엔 주저하지 않았다. 하지만 그녀는 너무 많이 먹어 위장을 망쳐 토하는 경우가 더러 있다. 때로는 배가 매우 아파, 플라는 7일간 적당히 먹어 체중을 유지하는 다이어트를 해야 했다. 그렇게 먹고 토하고 적당히 먹기를 반복했다. 끝내, 살찌는 것 대신에 그녀는 5kg이나 몸무게가 줄었다.

불쌍한 엄마! 그만큼 엄마가 자녀들 몸무게를 늘이려고 애써도, 자녀들은 필요한 체중의 절반도 채 못 미쳤다. 이제 겨울은 이미 가까워졌다. 엄마는 아주 걱정되었다.

그때 아빠가 문제의 해결책을 만들어냈다. 아빠가 품질이 매우 좋은 꿀을 상당한 양을 발견했다. 물론 그 꿀을 삼 남매는 아주 좋아했다. 더구나 꿀은 건강에도 아주 좋고, 살지게 하는 데도 좋다.

덕분에 이제 우리 삼 남매는 세 개의 공처럼 둥글둥글하게 살지고, 더 이상 걷기도 힘들 정도였다. 엄마는 대만족이고, 한시름 놓았다. 물론 나나의 불평은 계속되어도.

“제 모습이 어떤지 한번 보세요! 엉망이라구요! 저는 코끼리만큼 뚱뚱해져 있다구요! 달리기도 이젠 못해요!”

엄마 아빠는 웃기만 하셨다. 이제 겨울잠 자는 일은 아주 안전하게 준비되었다.

PREPAROJ POR LA VINTRO

Tagon post tago, la vetero estis ĉiam pli malvarma. Ne plu estis agrable baniĝi. Jam blovis malvarma vento, kiu ŝajnis enporti la malvarmon rekte en la ostojn. Folioj sur arboj, ĝis nun ruĝaj en ĉiu nuanco, komencis flaviĝi kaj malrapide faladi. Venis la malfrua aŭtuno.

Tiu malvarmo la ursidojn certe ne ĝojigis. Sed bela avantaĝo de la aŭtuno estas tio, ke la arbaro estas plena de ĉiuspecaj dolĉaj fruktoj. Abelujoj estas plenaj de mielo. Vi nur iom svingu per la piedego, kaj jen ĝi estas plena de bongustaj fruktoj, pro kiuj el via buŝo fluas salivo! Kion ajn vi volas, ĉu pirojn, pomojn, prunojn, avelojn - libere elektu!

La ursoj en la arbaro estis plejmulte jam sufiĉe dikaj. Sed la ursoj, se dikiĝintaj, ne bezonas dieton. Male, ili klopodas dikiĝi eĉ pli. Ĉar iliaj ventroj estas ilia deponejo por nutraĵo dum vintro. Kiam venas vintro kaj falas neĝo, ursoj dormas en siaj varmaj hejmoj kaj tiel ili atendas printempon. Kaj printempe ili estas maldikaj kiel vergoj.

Sed dikigi nian triopon estas tasko neniom facila. Unue, ili estas tiom maltrankvilaj, ke ili devas formanĝi duoble pli ol aliaj ursidoj. Alie ili ne povas dikiĝi.

Krom tio, Felĉjo ne ŝatas manĝi. Enpuŝi nutraĵon en lian buŝon - tio estas vera arto. Jam la gepatroj provis jene:

- Ek, Felĉjo, unu buŝplenon por Panjo. Kaj nun manĝu unu por Paĉjo, kaj unu por Nana. Ho, jes, ankoraŭ unu por Flavinjo, ŝin ni ne rajtas forgesi! Kaj ankaŭ unu por la najbarino strigo... ktp.

Nana ŝatas manĝi kaj volonte ŝi manĝas. Sed ĉi-jare ŝi aŭdis, ke nun estas en modo resti maldika. Sed post premu-tiru dialogo, Panjo sukcesis, ke Nana dikiĝu.

Flavinjo ŝatas manĝi, kaj pri la modo ŝi fajfas, sed ŝi tiom troigis manĝante, ke ŝia stomako fuŝiĝis kaj ŝi multe vomis. Post tio ŝia ventro tre doloris, kaj ŝi devis subiĝi al severa dieto dum sep tagoj. Tiel, fine, anstataŭ dikiĝi, ŝi perdis kvin kilogramojn.

Kompatinda Panjo! Tiom ŝi penis rilate al ili, kaj ili atingis eĉ ne duonon de la bezonata pezo. Kaj la vintro jam proksimis. Ŝi estis ege zorganta.

Tiam Paĉjo solvis la problemon. Li trovis grandan kvanton da plej kvalita mielo. Kaj la mielon, kompreneble, la ursidoj adoregas. Krome ĝi estas tre saniga kaj ankaŭ dikiga.

Nia triopo rondiĝis kiel tri pilkoj kaj apenaŭ plu kapablis marŝi. Panjo estis kontenta kaj senzorga, kvankam Nana konstante plendis:

- Vidu nur kiel mi aspektas! Terure! Mi dikas kiel elefanto! Eĉ kuri mi apenaŭ povas!

La gepatroj nur ridetis. Nun ili povis trankvile droni en la vintran dormon.

겨울의 기쁨

겨우내 잠자기란 -그것은 우리 삼 남매에겐 너무 길고 너무나 따분한 일이었다.

햇빛이 비치고, 아주 차가운 어느 날, 나나는 잠을 자다가 깼다. 그녀는 자신이 사는 동굴의 출입문으로 나가 보았다. 햇살에 반짝반짝 빛나는 눈을 본 나나는 썰매를 타며 달리고 싶은 마음이 생겼다. 그러려면 혼자는 재미없으니, 모임을 만들어야 했다. 그래서 그녀는 페로와 플라를 깨우기 시작했다. 그러나 그 둘은 소문난 잠꾸러기라서 그들을 깨우기란 쉽지 않았다. 처음에 그녀는 동생들을 조금 흔들어 보았으나, 동생들은 귀조차도 꼼짝하지 않았다. 나중에 그녀는 동생들을 건드려 간지럼 태우기 시작했다. 그들은 자면서도 그런 간지럼을 당하지 않으려고 애썼다. 그들은 말만 "그만해, 가만 놔둬!"라고 하면서 잠 깰 생각은 전혀 없었다. 그때 나나는 간지럼 태우기를 포기하고 그들을 일단 출입문 밖의 바깥으로 밀어냈다.

그들의 집은 어느 동산의 끝자락에 있었다. 삼 남매가 바깥으로 나오자, 강한 햇살에 그들은 잠시 눈이 멀 정도이었다. 동생들은 눈을 껌벅거리며 비볐다. 나중에 동생들은 깜짝 놀라, 자신들에게 지금 여기가 어디지 하고 스스로 물었다. 나중에 그들은 불평을 쏟아냈다.

"이게 뭐야? 누나는 미쳤어? 왜 우리를 깨웠어? 우

린 자야 한다는 걸 몰라?"

그러나 아름다운 겨울 풍경을 보자, 그들은 불평을 그쳤다. 잠이 반쯤 아직 남은 플라는 자신이 지금 걷는 곳에서 별로 조심성이 없었다. 그러니, 그녀는 동산에서 그만 간단히 미끄러졌다. 처음에 그녀는 아주 겁났다. 그러나 곧 그녀는 이 미끄럼이 사실 아-주-아주 재미나는 일이구나 하고 느꼈다. 그녀는 이제 겁내기보다는 즐거움에 고함을 지르기까지 하였다. 페로와 나나도 곧 동산 위에서 미끄럼을 즐겼다. 오, 얼마나 신나는 일인가!

그런데 한번 저 아래로 내려가면, 나중에 동산 위로 다시 올라 와야 한다. 그런데 내려가기는 쉽지만, 오르기란 정말 힘든 일이었다.

불쌍하구나, 나나! 처음에 나나는 페로를 끌어당겨 올라와야 했고, 나중에 다시 아래로 내려가, 플라를 뒤에서 밀면서 올라와야 했다. 그 때문에 세 번이나 굴렸다. 나나는 지루했다.

"우린 눈으로 곰돌이 모양을 만들어 보자!: 그녀가 제안했다.

"아니, 아니, 우린 더 구르고 싶어! 이게 정말 신나는 일인걸!" 페로와 플라는 간청했다.

"그래 원하는 만큼 구르는 것은 좋아. 하지만 너희를 더는 끌고 올라올 힘이 없거든." 나나가 대답했다.

그러자, 페로와 플라는 나나의 제안을 받아들이기로 했다.

눈으로 곰돌이를 만들기 위해, 그들은 먼저 작은 눈

덩이를 집어, 이를 이리저리 눈 위로 굴려야 했다. 그렇게 제법 눈덩이가 커졌다. 그렇게 큰 눈덩이를 세워 둔 곳의 주변에서 놀던 페로가 자신이 어디로 걷는지도 모른 채 무심하게 걷다가 그만 또 미끄러졌다. 그런데 그가 미끄러진 곳이 마침 경사진 언덕이라, 언덕 저 아래로 미끄러져 내려갔다. 그때 나나와 플라는 다른 곳에서 자신들이 만들고 있는 눈덩이를 세워 둔 채, 놀던 페로가 미끄러져 내려가는 장면을 보게 되었다.

그런데 페로가 놀던 곳에 세워둔 눈덩이도 슬슬 한쪽으로 기울더니 페로가 미끄러진 길을 따라 굴러 내려가는 것이 아닌가!

그 눈덩이는 굴려 내려가면서 속도가 더해지더니, 마침내 페로를 간단히 덮쳐 버렸다. 그 장면을 본 나나와 플라는 눈덩이에 깔린 페로를 구하려고 그곳으로 달려갔다. 그들은 페로를 눈덩이에서 빼내려고 애썼다. 그러나 그 눈덩이는 이미 단단한 채 있어, 그 일은 쉽지 않았다. 눈덩이 속에 박힌 페로를 꺼내기 위해 그들이 한동안 애를 썼다. 마침내 다행히도 그들은 페로의 머리와 네 발만 먼저 눈덩이 밖으로 빼낼 수 있었다. 나나와 플라는 그런 페로의 모습을 보니, 웃음이 나와, 페로를 구하는 일을 계속할 수 없을 지경이었다.

"지금 우리가 진짜 살아있는 눈곰돌이를 만들었어!"
그들은 페로를 보며 놀렸다. 그러나 페로는 전혀 웃지 않았다. 그는 몸이 차가워, 어서 눈으로 둘러싸인 자신을 구해주기만 기다리고 있었다.

페로를 눈덩이에서 구한 뒤, 나나와 플라는 또 다른 눈으로 곰돌이들을 만들어 보려고 하였다. 그러나 페로는 눈곰돌이 만드는 이야기는 더 듣고 싶어 하지도 않았다.

그러자 그들은 눈덩이로 눈싸움을 하기로 했다. 전면전이 벌어졌다. 서로가 서로를 향해 싸우는 장면이 되었다. 그러면서도 그들이 그만큼 세게 웃는 바람에 숨을 충분히 쉬기 위해 그들은 좀 쉬어야 했다. 잠시 쉬고 난 뒤. 그들은 눈싸움을 다시 시작하고, 그렇게 더 웃었다. 물론 그들은 너무 크게 떠들었다. 그렇게 너무 세게 떠든 바람에 다시 이웃 아줌마 올빼미를 깨우게 되었다. 아줌마 올빼미가 삼 남매에게 비난할 바로 그 순간, 우리 삼 남매의 엄마가 나타났다.

“너희 셋은 그곳에서 뭐 하니? 어서 들어 와!” 엄마는 잠이 고픈 목소리로 말했다.

그래서 그들은 놀이를 마치고 자신의 동굴을 향해 우울한 기분으로 가야 했다. 그리고, 그들은 만일 다음에 자신들이 잠자다가 다시 깨면, 그땐 더 조용히 놀이하면서 지내야 하겠구나 하고 내심 다짐했다.

그러나 이웃집 아줌마 올빼미는 자신이 그들을 비난할 순간을 놓쳐 못내 아쉬워했다.

VINTRA ĜOJO

Dormi dum la tuta vintro - tio por niaj ursidoj estas afero tro longa kaj tro enuiga.

Iun sunan kaj tre malvarman tagon Nana vekiĝis. Ŝi foriris al la pordo de la kaverno. Vidinte la neĝon brilantan pro la suno, ŝi ekdeziris veturi per sledo. Ĉar por tio oni bezonas societon, ŝi komencis veki Felĉjon kaj Flavinjon. Sed tiuj du estas famaj dormemuloj, kaj veki ilin estas ne facile. Komence ŝi iom skuis ilin, sed ili ne volis movi eĉ orelon. Poste ŝi tiklis ilin. Ili provis sin defendi en dormo, kaj paroli "ne faru, lasu min", sed tamen ili ne volis vekiĝi. Tiam Nana rezignis pri la tiklado, kaj simple puŝis ilin eksteren.

Ilia hejmo estas pinte de iu monteto. Kiam ili troviĝis ekstere, la forta suno ilin dum momento blindigis. Ili palpebrumis kaj frotis la okulojn. Konfuze ili sin demandis, kie ili estas. Post tio ili protestis:

- Kio estas tio? Ĉu vi estas freneza? Kial vi vekas nin? Vi ja scias, ke ni devas dormi!

Sed,[komo] vidinte la vintran belaĵon, ili ĉesis plendi. Duone dormanta, Flavinjo ne atentis, kie ŝi paŝas, kaj, jen, ŝi simple forruliĝis laŭ la monteto. Unue ŝi ege ektimis. Sed baldaŭ ŝi eksentis, ke tio fakte estas tre-tre amuza. Kaj, anstataŭ pro timo, ŝi komencis kriegi pro ĝojo. Ankaŭ Felĉjo kaj Nana tuj lasis sin gliti laŭ la monteto. Ho, kia plezuro! Sed, se vi iris malsupren, poste vi devas denove grimpi supren. Kaj tio jam ne estas amuza.

Kompatinda Nana! Unue ŝi devis tiri Felĉjon, kaj poste reiri malsupren kaj puŝi Flavinjon. Tial post tri ruliĝoj Nana tediĝis.

- Ni iru fari ursidojn el neĝo! - proponis ŝi.

- Ho, ne, ni ankoraŭ deziras ruliĝi! Tio estas vere amuza! - petegis Felĉjo kaj Flavinjo.

- Bonvolu ruliĝi, kiom ajn vi volas, sed mi ne plu tiros vin supren - diris Nana.

Post tio Felĉjo kaj Flavinjo tuj konsentis kun la propono de Nana.

Por fari ursidon, ili prenis unu malgrandan neĝan bulon kaj rulis ĝin ien-tien sur la neĝo. La bulo rapide grandiĝis. Ĉi-foje Felĉjo ne atentis, kie li paŝas, kaj li deglitis kaj forruliĝis. Tiam Nana kaj Flavinjo lasis la bulon, por vidi kio okazis al Felĉjo.

Ĉar la bulo estis sur la deklivo, tial ankaŭ ĝi ruliĝis for. Ĝi iris rapide, atingis Felĉjon kaj kovris lin. Nana kaj Flavinjo alkuris kaj provis lin eltiri. Sed la neĝo fariĝis malmola, kaj tiu laboro estis ne facila. Dum ili laboris por elfosi Felĉjon, nur lia kapo kaj piedoj elstaris el la bulo. Nana kaj Flavinjo apenaŭ povis labori pro rido. - Nun ni havas vivan ursidon el neĝo! - moketis ili pri Felĉjo. Sed li tute ne ridis. Li sentis malvarmon, kaj pene atendis, ke ili liberigu lin el tiu neĝa brakumo.

Post lia liberigo, Nana kaj Flavinjo volis plue fari neĝajn ursidojn, sed Felĉjo ne volis pri tio eĉ aŭdi.

Tial ili decidis batali per neĝbuloj. Estiĝis totala milito. Batalis ĉiuj kontraŭ ĉiuj. Dume ili tiom ridis, ke ili devis fari paŭzon, por povi enspiri iom da aero. Post la paŭzo ili eĉ pli batalis kaj eĉ pli ridis. Kaj kompreneble ili fariĝis tro laŭtaj. Tiom laŭtaj, ke ili denove vekis la najbarinon strigon. Tiu sin ĵus preparis por ilin riproĉi, sed tiam aperis ilia patrino.

- Kion faras vi tri? Tuj iru dormi! - diris ŝi per dormema voĉo.

Malgaje ili ekiris al la kaverno. Kaj en siaj pensoj ili konkludis ke, se denove ili vekiĝos, ili devos esti malpli laŭtaj.

Sed la najbarino strigo ege bedaŭris, ke ŝi ne havis tempon por ilin severe riproĉi.

크리스마스 축제

그로부터 한 달이 지난 뒤, 플라는 잠에서 깼다. 그녀는 집 안을 둘러 보았다. 그리고 온 가족이 깊이 잠자는 것을 보았다. 페로와 나나는 호흡을 맞춘 채 코마저 골고 있었다. 그 모습을 즐겁게 본 플라는 크게 한번 웃으려고 했다. 그러나 마지막 순간에 그녀는 참았다. 지난번에 큰 웃음에 엄마가 깬 적이 있었는데, 그때 화를 크게 낸 엄마 모습이 떠올랐다.

플라는 다시 자려고 하였으나, 잠이 오지 않았다. 그때 그녀는 집 밖으로 머리를 내밀어 보니, 짐승들의 움직임이 이상하게도 평소와는 달리 서둘러 움직이는 걸 보았다. 여느 때처럼 궁금한 그녀는 다람쥐를 찾아가, 무슨 일이 있는지 물었다.

"정말 내일이 크리스마스야!" 다람쥐는 간단히 말하고는 달려가 버렸다.

"크리스마스가 뭐지?" 플라는 생각했다. "정말 뭔가 중요한 일이겠지. 그러면 나도 그게 뭔지 꼭 보고 싶네!"

급히 그녀는 자신이 사는 동굴로 달려가, 페로와 나나를 깨우기 시작했다, 플라는 그들을 황급히 흔들어 보았다. 그러면서 그녀는 엄마 아빠를 깨우지 않으려고 신경을 썼다. 그러나 마지막 순간에 그만 엄마 아빠도 깼다. 엄마 아빠는 그들을 침대로 다시 밀어 넣었다.

"내일이 크리스마스래!" 그녀는 흥분되었지만 낮은 목소리로 자신의 큰 발로 비비고 있는 나나와 페로에게 말했다. 그러나 그들은 무슨 말인지 이해하지 못하고 주변을 둘러보았다.

"그거 먹을 수 있는 거야?" 페로는 배에서 불쾌한 소리를 느끼며 말했다. 그래서 그는 자신의 큰 발로 자신의 배를 눌렀다. 그러나 그 불쾌한 소리는 멈추지 않고 더 커졌다. 그리고 결국에는 "꼬르륵-꼬르륵-꼬르륵" 하고 소리가 들렸다. 나나는 웃었다. 나나가 웃으면서 말했다.

"그것은 축제일이냐, 에이 바보! 그건 누구나 까먹지 않고 기억하는 거야."

"사실 이 날엔 적어도 다른 집에서는 음식도 맛나고 푸짐하거든." 좀 슬픈 표정을 한 나나는 이어 말했다.

아빠와 엄마는 깊은 겨울잠을 주무시고 계시니, 크리스마스를 축하할 아주 작은 바람도 가질 수 없었다.

"왜 우리끼리만 크리스마스 즐기면 안 돼? 또 엄마 아빠는 계속 주무시게 놔두고서?" 플라가 제안했다.

"그래, 그게 좋겠어!" 페로가 동의했다.

"그러면 아주 좋네! 그러면 먹을 걸 찾아보자."

우리 삼 남매는 온 집안을 구석구석 찾아보았지만, 먹거리라곤 조금도 찾을 수 없었다. 페로의 배가 이제 더 큰 소리를 내자, 페로는 그만 그 자리에 앉아 울어버렸다.

나나는 페로를 다독거리며 조용히 하도록 했지만 실패하였다. 그가 아주 크게 우는 바람에, 그 우는 소리를 듣고 엄마가 깼다. 삼 남매는 엄마가 그들을 다시 야단하고, 잠자러 보낼까 봐 걱정했다. 그러나 이번에 엄마는 아주 조심스럽게 무슨 일이 있는지 물었다.

"크리스마스라구요. 우린 이 축제를 기쁘게 즐겨야 한다구요. 하지만, 우린 배고파요. 하지만 먹을 건 아무 것도 없구요." 나나는 설명했다.

엄마는 그런 삼 남매가 가여워 보여, 삼 남매에게 진짜 크리스마스를 즐기도록 해주겠다고 약속했다. 엄마는 아빠를 깨우고는, 아빠더러 크리스마스에 쓸 나무를 한 그루만 준비해오라고 해서 바깥에 다녀 오도록 부탁했다. 엄마는 귀여운 자식들에게 말했다.

"너희는 장식할 걸 준비해야지. 도토리도 가져오고, 뿌리도 구해 오고, 또 너희가 구할 수 있는 것이라면 뭐든 구해 와라. 이끼도 조금 챙겨 오면, 더 좋구! 그러면 그 나무를 아름답게 만들어 줄 걸."

엄마는 자신의 비밀 창고에서 꿀, 마른 과일, 마른 열매를 가져와서는 꿀과자를 만들기 시작했다. 삼 남매는 아름다운 뿌리도 많이 구해 왔고, 아빠는 아름다운 작은 전나무 한 그루를 가져 왔다.

페로는 자신의 배고픔도 잊은 채, 전나무에 장식들을 하나둘씩 흥미롭게 올려놓았다. 플라도 그 일을 도왔다. 그녀는 전나무 꼭대기에 장식물을 한 개 놓으려다, 그만 전나무를 넘어뜨리는 바람에 자신이 전나무 아래 깔리는 상황의 장면을 만들어 버렸다. 그녀가 전나무에서 빠져나오려고, 공중에서 뒷다리를 절망적으로 흔들었다. 그러자 그 모습을 본 식구들은 큰 웃음을 터뜨렸다. 아빠는 전나무를 다시 세웠고, 나나와 페로는 서로 도와 플라를 일으켰다. 그런 뒤로는 이젠 플라가 엄마가 꿀과자를 만드시는 걸 돕겠다고 결정했다.

페로와 나나는 전나무에 장식하면서 어디에 뭘 둬야 할지 서로 티격태격이다. 따라서 페로가 장식을 여기에 두면, 나나는 그것을 떼어버렸다. 페로는 아주 화가 나서 자신의 큰 발로 누나 나나의 머리를 쳤다. 그러자 누나는 페로를 다시 쳤다. 이제 아무도 그 싸움이 어떻게 끝날지 모를 지경이 되었다. 아빠가 이를 제지하지 않으면 안 되었다.

한 시간 뒤, 집 안에는 마침내 전나무 장식은 완성되었고, 꿀과자도 동시에 준비되었다. 이 꿀 과자도 만일 플라가 도우러 거들지 않았더라면, 더 일찍 준비되었을 것이다.

그들이 꿀과자를 다 먹을 때까지 가족은 방금 페로가 고안해 낸 노래를 함께 불렀다. 페로가 이 때에는 유명 작사가가 된 것이다. 노래 가사는 이런 내용이었다.

모든 곰에게 크리스마스는 행복해
배랑 사과랑 부족하지 않고 충분해
우리 가족에겐 꿀도 정말 충분해
그래도 우린 따끔한 벌침은 사양해.

"우리는 크리스마스가 이렇게 아름다운지 전혀 몰랐어!" 삼 남매는 하품하면서 자랑스럽다.

"만일 그게 너희들 마음이 든다면, 앞으로 매번 잔

치를 열어 줄게!" 엄마 아빠는 약속하셨다.

엄마는 이제 저 녀석들이 그런 약속을 들으면, 재미로 고함칠 걸로 예상했지만, 아무 일도 일어나지 않았다.

아빠와 엄마는 따뜻한 눈길로 다정하게 귀여운 세 자녀를 바라보다가 나중에 그들도 다시 잠들기 시작했다.

KRISTNASKA FESTO

Unu monaton poste, Flavinjo vekiĝis. Ŝi trarigardis la hejmon, kaj vidis, ke la tuta familio profunde dormas. Felĉjo kaj Nana ronkis unuvoĉe. Al Flavinjo tio plaĉis tiom, ke ŝi preskaŭ komencis laŭte ridegi. Sed en la lasta momento ŝi silentiĝis. Ŝi rememoris la koleron de Panjo, kiam oni vekis ŝin pasintan fojon.

Flavinjo provis denove endormiĝi, sed tio ne sukcesis. Tiam ŝi elmetis la kapon el la hejmo kaj rimarkis strangan haston inter la bestoj. Scivola, kiel kutime, ŝi iris al la sciuro kaj demandis ĝin, kio okazas.

- Ja morgaŭ estas Kristnasko! - mallonge diris la sciuro kaj kuris for.

- Kio estas Kristnasko? - pensis Flavinjo. - Certe io tre grava. Sed tiam ankaŭ ni devas vidi, kio ĝi estas!

Rapide ŝi kuris al la kaverno kaj komencis veki Felĉjon kaj Nanan. Ŝi iomete skuis ilin. Ĉe tio ŝi tre atentis por ne veki la gepatrojn. Ja kiam la lastan fojon ili vekis la gepatrojn, tiuj pelis ilin en la liton.

- Morgaŭ estas Kristnasko! - diris ŝi per

ekscitita, sed nelaŭta voĉo al Nana kaj Felĉjo, kiuj frotis la okulojn per siaj piedegoj, kaj senkomprene rigardis ĉirkaŭ sin.

- Ĉu tio manĝeblas? - demandis Felĉjo, sentante malagrablan bruon en la ventro. Kaj per sia piedego li premis sian ventron. Sed anstataŭ ĉesi, la bruo plifortiĝis, kaj aŭdiĝis unu "bru-bru-brum". Nana ekridis. Kaj tra la rido ŝi diris:

- Tio estas festotago, vi stultuleto! Tion oni ne povas manĝi.

- Fakte, tiam estas multe da bona manĝaĵo, almenaŭ ĉe aliaj familioj - aldonis ŝi triste.

Paĉjo kaj Panjo estis en profunda vintra dormo, kaj ne havis eĉ plej etan deziron festi Kristnaskon.

- Kial ni solaj ne festu Kristnaskon, kaj la gepatroj trankvile pludormu? - proponis Flavinjo.

- Jes ja! - konsentis Felĉjo.

- Tio estus bonega! Kaj nepre ni devos trovi ion por manĝi.

La ursidoj traserĉis la tutan hejmon, sed da manĝaĵo ili trovis neniom. La ventro de Felĉjo komencis tiom brui, ke li sidiĝis kaj ekploris.

Nana vane provis trankviligi kaj silentigi lin.

Li ploris tiom laŭte, ke li finfine vekis Panjon. La ursidoj timis, ke Panjo ilin denove riproĉos kaj sendos al dormado. Sed ĉi-foje Panjo nur zorge demandis, kio okazas.

- Estas Kristnasko, kaj ni devus ĝoji kaj festi ĝin. Sed ni estas malsataj, kaj nenio estas por manĝi - klarigis Nana.

Panjo kompatis nian triopon kaj promesis al ili, ke estos vera kristnaska festo. Ŝi vekis Paĉjon kaj sendis lin por trovi kaj alporti kristnaskan arbon. Poste ŝi diris al la etuloj:

- Vi faros ornamaĵojn. Alportu glanojn, strobilojn kaj ĉion, kion vi sukcesos trovi. Iom da musko ankaŭ bonvenos! Ĝi bele aspektos sur la arbo.

Panjo prenis el sia sekreta deponejo mielon, sekajn fruktojn kaj berojn, kaj komencis fari mielkukon. La triopo baldaŭ revenis kun aro da belegaj strobiloj, kaj Paĉjo alportis belan malgrandan abion.

Felĉjo forgesis sian malsaton kaj kun granda fervoro metadis ornamojn sur la abion. Ankaŭ Flavinjo helpis en tiu laboro. Ŝi provis meti unu ornamon ĝuste sur la pinton, kaj renversis la abion sur sin. Dum ŝi provis eliri el sub la arbo, ŝi panike svingis gambojn en la aero. La tuta familio ridegis eksplode. Paĉjo levis la abion, kaj Nana kaj Felĉjo eltiris Flavinjon. Post tio Flavinjo konkludis, ke ŝi prefere helpos al Panjo pri la kuko.

Felĉjo kaj Nana neniel povis interkonsenti, kien meti kiun ornamon. Sekve Felĉjo metadis ilin, kaj Nana ilin demetadis. Li ege koleriĝis kaj frapis Nanan per sia piedego sur la kapon. Ŝi refrapis lin, kaj neniu povus diri, kiel la kverelo finiĝus, se Paĉjo ne estus haltiginta ĝin.

Post unu horo, en la hejmo estis fine ornamita la abio, kaj la kuko pretiĝis samtempe. Eĉ pli frue ĝi estus preta, se Flavinjo ne estus helpinta.

Kiam ili formanĝis la kukon, la tuta familio kune muĝis la kanton, kiun ĵus elpensis Felĉjo, la fama vers-forĝanto. Ĝi tekstis pli-malpli jene:

- Al ĉiu urso Kristnasko feliĉa,
pomoj, piroj, abundo riĉa!
Al nia gento abundu mielo,
kaj nin ne piku eĉ unu abelo!

- Ni tute ne sciis, ke Kristnasko estas tiom bela! - jam oscedante deklaris la ursidoj.

- Se ĝi tiom plaĉas al vi, estonte ni festos ĝin ĉiufoje! - promesis la gepatroj.

Panjo kredis, ke nun sekvos krioj pro entuziasmo, sed okazis nenio. La triopo jam dormis.

Paĉjo kaj Panjo ursoj kun amo rigardis sian plej karan triopon, kaj poste ekdormis ankaŭ ili.

끝

곰 가족은 이제 깊이 잠자고 있습니다.

그들이 다시 깨어나면, 이미 봄이 와 있을 겁니다. 눈은 벌써 녹아 있을 것이고, 자연은 마찬가지로 깨어 있을 것입니다.

우리 주인공 삼 남매는 나이를 한 살 더 먹게 되지만, 나는 그들이 이젠 더욱 진지하게 행동할지 아직 말할 수 없습니다. 그들이 지난해 벌인 모든 장난을 되풀이하지 않았으면 하고 기대하지만, 아마도 새로운 수많은 놀이를 고안할 것입니다. 나는 그들의 새로운 놀이가 무척 기대됩니다. 그리고 어린이 독자 여러분은 어떤가요? 여러분은 아닌가요? 호, 호, 나를 속이지 말아요!

우리는 이제 그들이 자도록 놔둡시다. 그들이 아름답고 유쾌한 꿈만 꾸었으면 하고 기대하기로 해요. 우린 그들이 더 많은 햇볕과 꿀과 배를 가지도록 기대해요. 꿀벌들이 스스로 그들에게 꿀을 날라 주어, 그들이 실컷 먹고 지낼 수 있도록 해 주었으면 하고 기대도 해요.

그럼, 우린 이제 발뒤꿈치를 살짝 들고 조용히 나가요. 그리고 이 책도 조용히 닫아 주세요. (*)

FINO

La ursa familio profunde dormas.

Kiam ili revekiĝos, estos jam printempo. La neĝo degelos, kaj la tuta naturo vekiĝos.

La ursidoj estos iom pli aĝaj, sed mi ne povas diri, ĉu ili estos ankaŭ pli seriozaj. Espereble ili ne ripetos ĉiun petolaĵon de la pasinta jaro, sed certe ili elpensos multajn novajn. Mi tre scivolas pri tio. Kaj vi? Vi ne? Ho, ho, ne trompu min!

Ni lasu ilin dormi, kaj deziru al ili, ke nur belajn kaj gajajn songôjn ili sonĝu. Ni deziru al ili multe da suno, mielo kaj piroj. Abeloj mem portu al ili mielon, kiom ajn ili povas manĝi.

Ni eliru silente sur piedfingroj, kaj eĉ pli silente ni fermu ĉi tiun libron.

옮긴이의 글

애독자 여러분, <공포의 삼 남매>를 소개하기 전에 크로아티아 수도 자그레브에서 지난달 있었던 흥미로운 이야기부터 하렵니다.

저는 지난 11월 4일 오늘 저녁 6시 30분경에 카톡 영상 통화로 크로아티아 자그레브(해당 나라 시각: 오전 10시 30분경)에 있는 작가 스포멘카 슈티메치 여사와 통화를 즐겁게 했습니다.

이 통화는 당일 작가의 작품 『크로아티아 전쟁체험기』(Kroata Milita Noktlibro) 한국어판 전달식이 크로아티아 자그레브의 웨스틴 자그레브 호텔에서 열렸기 때문이었습니다.

‘코로나 19’ 특수 상황에서 작가는 마스크를 쓰고 건강한 모습으로 “Ĉio en ordo!(모든 일이 정상적으로 이루어지고 있어요!)” 라며 저의 걱정을 들어 주었습니다.

왜 제가 저자와 영상통화를 하였는지, 그 사연이 궁금하시죠? 그 일은 이런 과정을 거쳐 이루어졌습니다. 역자는 그 사연 전개가 정말 흥미로워 독자 여러분에게 알립니다.

즐겁고 기쁜 소식을 함께 나누면 애독자인 여러분과 옮긴이인 제게도 힘이 되고, 격려가 되니까요.

지난 10월 18일 『크로아티아 전쟁체험기』 한국어판을 진달래 출판사가 발간한 뒤, 일주일 뒤에 그 책이 역자인 제게 도착했습니다. 그래서 저는 애독자

동서대학교 박연수 교수(한국수입협회 부회장)를 찾아가, 주문한 책을 전달해 주었습니다. 그랬더니, 11월 첫주에 한국수입협회 회장단이 자그레브를 업무차 방문한다며, 그이 자신도 협회 부회장으로 이 행사에 함께 간다고 했습니다.

저는 조심스럽게 그럼, 가는 길에 『크로아티아 전쟁체험기』 한국어판을 저자에게 좀 전달해 달라고 말했더니, 박교수는 즉각 그렇게 하겠다고 약속해 주었습니다.

그런 이면에는 조금 더 깊숙한 이야기가 깔렸습니다. 박연수 교수는 학창시절인 1984년 초 부산경남지부의 에스페란토 초급강습회(경성대학교, 10여 명 수료, 지도 장정렬)에 와서 에스페란토를 배웠습니다. 당시 함께 배운 이들 중에는 나중에 시인이 된 김철식, 거제대학교 초빙교수 최성대, 교사 정명희, 건축업자가 된 강상보씨 등이 청년기를 보내고 있었습니다. 이 강습회에 참여한 학생들은 Rondo Steleto를 구성하고, 회보 <Steleto>를 수차례 발간하였습니다.

그 수료생 중 김철식 시인을 통해, 약 20여 년 뒤, 서울대학교 명예교수였던, KAFT 문학 연구가이자 한국문학 평론가인 김윤식 선생님을 뵙는 영광을 누렸습니다. 당시 김 선생님은 저희 에스페란티스토 일행을 자신의 서재에 초대하셨습니다. 당시 선생님은 안서 김억 선생 등이 1920년 7월 25일 창간한 동인지 <폐허(Ruino)>의 표지에 실린 시인 김억의 에스페란토 시 'La Ruino' 를 암송하시는 것이 아니겠습니까!

“Jam spiras aŭtuno
Per sia malvarmo kruela;
Malgaje malbrile rigardas la suno
Kaj ploras pluvanta ĉielo......

Kaj ĉiam minace
Alrampas grizegaj la nuboj;
De pensoj malgajaj estas mi laca.
Penetras animon duboj...”

한국 근대와 현대 문학 평론을 펼치시던 김윤식 선생님의 열정을 지금도 잊을 수가 없습니다. 에스페란토 연구자인 저로서는 그 순간이 생생하게 기억되고 있습니다. 아쉽게도 당시 김윤식 선생님과 함께 찍은 사진을 제가 가지고 있지 않지만...

또 다른 수료생이었던 최성대 교수는 오늘날도 에스페란토 서적을 꾸준히 읽는 애독자이며 여전히 부산 동래에서 역자와 교류를 이어오고 있습니다.

약 37년의 세월이 흘러도, 그 수료생들은 부산에서 각자의 재능과 지식을 바탕으로 전문 분야에서 활동을 이어가고 있습니다. 아, 생각만 해도 반가운 얼굴들!

그렇게 박연수 교수도 부산에서 에스페란토 안팎의 일로 친구처럼 만나고 있습니다.

그런 인연으로 『크로아티아 전쟁체험기』한국어판

은 박연수 교수의 민간 외교용 여행 가방에 1kg 정도의 책 무게를 더 무겁게 만들었습니다. 역자인 저로서는 고마울 뿐이었습니다.

그러면서 저는 저자인 스포멘카 여사에게 이메일로 『크로아티아 전쟁체험기』 한국어판을 인편으로 자그레브에 전달하겠다고 하니, 저자는 깜짝 놀라며, 반가워했습니다. 그렇게 이메일을 주고받았습니다.

저자 스포멘카 슈티메치 여사는『크로아티아 전쟁체험기』 한국어판이 발간되었다는 소식을 들은 저자 스포멘카 여사는 즉시 자그레브 라디오 방송국에 연락해, 한국어판이 나왔다고 '저자 인터뷰' (11월2일, https://glashrvatske.hrt.hr/hr/multimedia/gost-glasa-hrvatske/gost-glasa-hrvatske-spomenka-stimec-3353588)를 통해 자그레브 시민들에게 그 소식을 알렸습니다. 그 방송을 통해 옮긴 이의 이름이 들리니, 저 또

한 감동하지 않을 수 없었습니다.

그러나, 그런 감동에도 불구하고, 인편으로 간 『크로아티아 전쟁체험기』한국어판이 제대로 잘 전달될지 궁금하고 걱정도 되었습니다. 크로아티아 자그레브 현지 상황이나 박 교수가 머무는 웨스틴 자그레브 호텔 상황이나, 한국수입협회 일정도 '코로나 19'라는 특수 상황과 어떤 연관성이 있을지 걱정 반 기대 반이었습니다.

다행히 박교수 일행은 11월 2일 폴란드를 경유해 자그레브에 안착했다고, 또 저자와 통화도 했다고 카톡으로 알려 왔습니다. 스마트폰에서 우리 독자들이 자주 사용하는 보편적인 활용도구가 된 '카톡'은 저 멀리 크로아티아 자그레브와도 아무 어려움 없이 무료로 소통을 가능하게 해 주었습니다. 대화 상대방이 카톡 프로그램을 자신의 스마트폰에 장착하기만 하면, 손쉽게 소통할 수 있기 때문입니다. 에스페란토를 활용하는 독자 여러분도 외국 친구나 지인이 있다면, 한번 시도해 보시는 것도 좋을 듯합니다.

무슨 일이든 바쁨 속에서 이뤄지나 봅니다. 한국수입협회 일행의 일정 속에 가장 바쁜 날이 11월 4일 목요일이었습니다. 전달식이 열리는 오전 10시 30분이 될 때까지, 카톡과 이메일 등을 통해 전달식의 행사 순서를 정하고, 이를 에스페란토-국어로 순차 배치하여, 원활한 소통이 되도록 하였습니다.

저자와 역자는 참석자들을 일일이 확인하고, 양국의 대표단이 인사하게 하고, 우리 나라 6.25와 1991년 크로아티아 내전의 희생자를 위한 묵념, 책을 들고 간 애독자인 박교수님의 소감, 저자 스포멘카 슈티메치의 인사말, 저자의 요청 2가지: 1. 한국어판 책자 중 <부코바르의 레네> 라는 곳을 한국어로 읽어 달라는 저자의 요청, 2. 인삼차를 준비해 달라는 요청. 도서 전달식, 이 책에 실린 에스페란티스토 가족의 참석 등이 일정표에 정해졌고, 당일 정해진 시각에 자그레브 하늘 아래서『크로아티아 전쟁체험기』한국어판 전달식이 이뤄졌고, 그 나라에서 한국어로 책의 특정 페이지를 읽는 기회도 가졌습니다. 민간 외교와 문화 교류의 장이 성립되었습니다!

저자는 이 인편으로 전달이 좀더 일찍 알려졌더라면, 크로아티아 문화부나 대사관에 알려 더 큰 행사로 홍보할 수 있었겠다는 아쉬움도 있었다고 합니다. 이번 행사는 일종의 번갯불에 콩 구워 먹기 같은 풍경입니다. 간단히 말해 '번개팅'이 국제적으로 이뤄졌습니다.

그래서 저는 애독자 여러분을 위해 아래 사진을 한 장 싣습니다.

사진은 11월 4일 자그레브에서의 『크로아티아 전쟁체험기』 한국어판 전달식(사진 중간에 가방을 둘러 맨 이가 저자 스포멘카 슈티메치, 맨 오른편이 애독자 박연수 교수)을 알려 주고 있습니다.

이 한 장의 사진은 저자와 저자 주변의 에스페란티스토 회원이자 애독자들의 모습과 자그레브 문화와 에스페란토의 힘을 볼 수 있고, 마찬가지로 한국수입협회 임원단의 배려도 볼 수 있습니다.

이 책을 지은 저자나 옮긴이인 저로서는 벅찬 감동의 순간이었을 겁니다. 이 책이 출간되고 나서 30년만에 한국어판이 발간되었으니까요.

이제 이 작품『공포의 삼 남매』이야기를 살짝 할까 합니다. 이 동화는 어린 곰 가족을 여러분에게 소개하는 책입니다. 새끼 곰들이 사는 모습을 통해 우리 아이들의 삶을 이해할 수 있고, 그들을 격려할 기회가 될 것으로 생각합니다.

이 책을 보시면, 국어 번역본을 먼저, 에스페란토본을 뒤에 배치한 것은, 학습자들이 에스페란토 문을 학습하기 전에, 한국어 번역본을 먼저 이해하고 에스페란토 문을 학습하면 학습효과가 높다고 생각해서 그렇게 배치했습니다.

만일 애독자 여러분이 국어나 에스페란토로 동화 구연을 한다고 보면, 그 중 어느 한 텍스트를 정해 이를 표현하면 좋을 것 같습니다. 특히 에스페란토로 동화를 구연하려는 독자 여러분은 여러 번 에스페란토문을 읽고, 그 문장이 머릿속에 그림으로 표현될 수 있을 정도에 동화로 구연하면 듣는이가 어린아이거나 어른이고 관계없이 입가에 미소를 머금고 동화 구연을 하는 분의 목소리와 표정에 귀 기울이리라고 상상을 해 봅니다.

2022년 11월에는 부산에서 아시아-오세아니아 에스페란토대회가 열립니다. 여러분의 언어를 잘 활용할 절호의 기회이기에, 그 대회가 기다려집니다. 그때에는 우리가 마스크를 벗고서, '코로나 19'를 극복한 채로, 국제적으로 에스페란토 사용자를 만나는 기쁨을 누리기를 고대해 봅니다.

에스페란토에서 문학은 농부의 일하는 들판에 비유할 수 있습니다. 들판 주변에는 산도 있고, 강도 있고 바다도 보일 것입니다. 그 들판에는 곡식이 자라는 것은 물론이고, 농부의 이마에 맺히는 땀방울도 있고, 등을 굽힌 채 자신의 논과 밭을 일구는 손길도 있습니다. 꽃도 피고, 새가 날고, 6월에 나비가 논밭에서 농부의 눈길을 잠시 쉬어 가게 할지도 모릅니다.

에스페란티스토 작가들은 자신의 모어가 아닌, 자신이 자각적으로 선택하여 배우고 익힌 에스페란토라는 언어도구로 세상을 기록하고, 자신의 꿈을 말하고, 자신의 시대를 그리고, 고민하고, 절망하고, 고마워하고, 또 고발하며 글쓰기 작업을 합니다.

에스페란토라는 씨앗을 나무로, 풀로, 시냇물로, 강으로, 바다로, 산으로, 들로, 저 하늘로 펼쳐 보내는 작가의 손길을 따라가다 보면, 실로 산천초목의 초록이 푸르름이, 온갖 색상들이 언어로 재탄생되어, 독자에게는 편지처럼 읽히고, 사진처럼 찍히고, 동영상처럼 내가 사는 세상을 이해하고, 지향하는 바를 알고, 동감과 공감하지 않을 수 없을 것입니다.

부산에서 활동하시는 아동문학가 선용 선생님, 화가 허성 선생님, 중국에 계시는 박기완 선생님, 세 분 선생님께 저의 번역작업을 성원해 주시고 격려해 주셔서 고맙다는 말씀을 전합니다. 한국에스페란토협회 부산지부 동료 여러분들의 성원에도 감사드립니다.

늘 묵묵히 번역 일을 옆에서 지켜보시는 어머니를 비롯한 가족 여러분께도 고마운 마음을 글로 남겨 봅니다.

이육사의 시 "청포도"의 한 구절로 저의 옮긴이의 글을 마치려고 합니다.

"...
내가 바라는 손님은 고달픈 몸으로
청포를 입고 찾아온다고 했으니

내 그를 맞아 이 포도를 따 먹으면
두 손은 흠뻑 적셔도 좋으련

아이야, 우리 식탁엔 은쟁반에
하이얀 모시 수건을 마련해 두렴."

'내가 바라는 손님'은 에스페란토 문학에 관심을 가지는 청소년, 어른 애독자 여러분입니다.
여러분도 이 청포도 같은 에스페란토 작품들을 통해 즐거운 문학의 향기를 느끼시길 기대합니다.

2021년 12월
장 정 렬

역자의 번역 작품 목록

-한국어로 번역한 도서

『초급에스페란토』(티보르 세켈리 등 공저, 한국에스페란토청년회, 도서출판 지평),

『가을 속의 봄』(율리오 바기 지음, 갈무리출판사),

『봄 속의 가을』(바진 지음, 갈무리출판사),

『산촌』(예쥔젠 지음, 갈무리출판사),

『초록의 마음』(율리오 바기 지음, 갈무리출판사),

『정글의 아들 쿠메와와』(티보르 세켈리 지음, 실천문학사)

『세계민족시집』(티보르 세켈리 등 공저, 실천문학사),

『꼬마 구두장이 흘라피치』(이봐나 브를리치 마주라니치 지음, 산지니출판사)

『마르타』(엘리자 오제슈코바 지음, 산지니출판사)

『국제어 에스페란토』(D-ro Esperanto 지음, 이영구 장정렬 공역, 진달래 출판사)

『사랑이 흐르는 곳, 그곳이 나의 조국』(정사섭 지음, 문민)(공역)

『바벨탑에 도전한 사나이』(르네 쌍타씨, 앙리 마쏭 공저, 한국외국어대학교 출판부) (공역)

『에로센코 전집(1-3)』(부산에스페란토문화원 발간)

-에스페란토로 번역한 도서

『비밀의 화원』(고은주 지음, 한국에스페란토협회 기관지)

『벌판 위의 빈집』(신경숙 지음, 한국에스페란토협회)

『님의 침묵』(한용운 지음, 한국에스페란토협회 기관지)

『하늘과 바람과 별과 시』(윤동주 지음, 도서출판 삼아)

『언니의 폐경』(김훈 지음, 한국에스페란토협회)

『미래를 여는 역사』(한중일 공동 역사교과서, 한중일 에스페란토협회 공동발간) (공역)

-인터넷 자료의 한국어 번역

www.lernu.net의 한국어 번역

www.cursodeesperanto.com,br의 한국어 번역

Pasporto al la Tuta Mondo(학습교재 CD 번역)

https://youtu.be/rOfbbEax5cA (25편의 세계에스페란토고전 단편소설 소개 강연:2021.09.29. 한국에스페란토협회 초청 특강)

<진달래 출판사 간행 역자 번역 목록>

『파드마, 갠지스 강가의 어린 무용수』(Tibor Sekelj 지음, 장정렬 옮김, 진달래 출판사, 2021)

『테무친 대초원의 아들』(Tibor Sekelj 지음, 장정렬 옮김, 진달래 출판사, 2021)

<세계에스페란토협회 선정 '올해의 아동도서' > 작품 『욤보르와 미키의 모험』(Julian Modest 지음, 장정렬 옮김, 진달래 출판사, 2021년)

아동 도서 『대통령의 방문』(예지 자비에이스키 지음, 장정렬 옮김, 진달래 출판사, 2021년)

『국제어 에스페란토』(D-ro Esperanto 지음, 이영구. 장정렬 공역, 진달래 출판사, 2021년)

『헝가리 동화 황금 화살』(ELEK BENEDEK 지음, 장정렬 옮김, 진달래 출판사, 2021년)

『알기쉽도록 육조단경』(혜능 지음, 왕숭방 에스페란토 옮김, 장정렬 에스페란토에서 옮김, 진달래 출판사, 2021년)

『크로아티아 전쟁체험기』(Spomenka Štimec 지음, 장정렬 옮김, 진달래 출판사, 2021년)

『상징주의 화가 호들러의 삶을 뒤쫓아』(Spomenka Štimec 지음, 장정렬 옮김, 진달래 출판사, 2021년)

『사랑과 죽음의 마지막 다리에 선 유럽 배우 틸라』(Spomenka Štimec 지음, 장정렬 옮김, 진달래 출판사, 2021년)

『침실에서 들려주는 이야기』(Antoaneta Klobučar지음, 장정렬 옮김, 진달래 출판사, 2021년)